L'ÉQUIPÉE MALAISE

JEAN ECHENOZ

L'ÉQUIPÉE
MALAISE

LES ÉDITIONS DE MINUIT

En application de la loi du 11 mars 1957, il est interdit de reproduire
intégralement ou partiellement le présent ouvrage sans autorisation de l'éditeur
ou du Centre français d'exploitation du droit de copie,
20, rue des Grands-Augustins, 75006 Paris

ISBN 2-7073-1687-3

I

1

Trente ans auparavant, deux hommes avaient aimé Nicole Fischer.

L'inconnu qu'elle leur préféra, pilote de chasse de son état, n'eut pas plus le temps de l'épouser que de s'éjecter de son prototype en vrille, pulvérisé sur la Haute-Saône en plein midi de mai. Blonde et baptisée Justine trois mois plus tard, l'enfant de ses œuvres porterait donc le nom de sa mère. Celle-ci, son deuil éteint, sa fille au monde, conçut l'idée de revoir ses anciens prétendants, Jean-François Pons et Charles Pontiac, elle eût aimé savoir ce qu'ils faisaient sans elle. Mais ses recherches furent vaines : ils l'aimaient tant qu'ils avaient vu leur vie cassée lorsque Nicole un soir, à la terrasse du Perfect, leur avait nerveusement signalé l'existence de l'homme volant. Pons et Pontiac s'étaient d'abord éloignés l'un de l'autre puis du monde extérieur, leurs noms manquaient maintenant dans les annuaires, leur souvenir même était presque évanoui.

Charles Pontiac disparut le premier, vers les souterrains, sans prévenir personne. On le crut mort et de moins en moins de monde parla de lui pendant deux ans. Jean-François Pons, quant à lui, n'annonça son départ qu'à sa sœur, encore assez jeune mère abandonnée par un certain Bernard Bergman qui avait juste reconnu l'enfant, puis crié qu'on le prénommât Paul J. par la fenêtre du train qui prenait de la vitesse. Pons lui fit de graves adieux brefs, posa une main sur la tête déjà formée du jeune Paul J., puis se fit mener par avion vers l'Asie du Sud-Est dont il ne savait rien.

N'ayant de la Birmanie, du Siam, nulle idée que celle d'un grand parc, nulle image que du vert uni, l'installation de Pons y requit beaucoup d'efforts et de préoccupations qui tuaient le passé comme il l'avait voulu. Il apprit d'autres langues, pensa donc autrement, transformations qui engloutirent ses économies. Une fois mangé tout son avoir et qu'il fallut trouver de quoi vivre, quelqu'un du consulat lui parla d'un nommé Blachon qui se tenait à Rangoon. Blachon portait un chapeau de toile dont il mâchait le bord tout en réfléchissant. Il y aurait bien cette affaire à reprendre en Malaisie, peut-être, suite au décès d'un vieux planteur européen. Exposant la chose, Blachon dessinait de l'index droit sur sa paume gauche ouverte, comme pour illustrer son propos.

Non loin de la côte malaise, vers l'est, une exploitation d'hévéas se retrouvait livrée à elle-même, son propriétaire né à Tulle venant de s'éteindre à l'hôpital d'Ipoh. La succession déclenchant des litiges, des procès à rallonges, les hommes de lois se virent contraints de recruter un gérant provisoire ; une candidature francophone les soulagerait. Jean-François Pons, dont le jeune passé d'imprimeur offrait toute garantie de sérieux, fut aussitôt engagé. Après que Blachon eut calculé ses honoraires au creux de la main, il proposa d'étaler le paiement sur huit mois.

Huit mois et plus, Pons se fatigua durement, coordonnant tôt le matin les équipes d'ouvriers agricoles, vérifiant les comptes au plus chaud de la sieste, passant ses nuits à lire entre les lignes du *Manuel du planteur d'hévéa* de Bouychou. Très vite il fut du dernier bien avec les paysans qui le voyaient enfouir la graine comme eux par tous les temps, nourrir le sol, repiquer les pousses et greffer les plants, saigner les arbres à l'aube et transporter leur sève à la petite usine de la plantation, près de la mare passementée de kapok sur pied. Il avait perfectionné son malais, s'était mis au chinois auprès des contremaîtres, il n'abusa jamais de son état de gérant. Il partageait les nouilles rurales, les couches rurales ; on lui attribua, dans une exploitation voisine, deux enfants qu'il entretenait volontiers. Il sut se faire populaire.

Le parachèvement de cette nouvelle vie, si bien transformée, ne consisterait-il pas dans l'adoption d'un nouveau nom ? L'imaginatif Pons eût par exemple aimé se faire appeler Tuan, titre éprouvé de noblesse locale, mais les employés se montrèrent réticents. Duc, songeat-il un soir. Duc, peut-être. Sonnant assez comme un prénom du cru, cette appellation fut mieux acceptée. Duc, duc Pons, riaient les ruraux qui se prêtèrent de bonne grâce à l'innocente lubie. Elle passa bientôt dans l'usage. En peu de temps Pons devint le duc Pons, connu sous ce titre jusque chez les banquiers de Kuala Lumpur, les hommes d'affaires de Singapour avec lesquels il traitait de plus en plus, de mieux en mieux. Dès 1967 en effet, la plantation retrouvait une prospérité oubliée, la surpassait même en débitant une grosse tonne de gomme par hectare et par an.

Ses héritiers, naturellement, ne s'étaient accordés nulle trêve ni compromis, bloquant le conflit au point qu'il ne pût se résoudre que par décès d'une des parties. Cela se produisit de longues années plus tard en faveur d'une madame Luce Jouvin, épouse d'un ingénieur des eaux. Un 2 novembre à Kuantan, Luce et Raymond Jouvin sortirent en titubant d'un 337 du Malaysian Airline System. Ils étaient fatigués, découragés d'être aussitôt trempés par la mousson de nord-est. Luce entre les trous d'air avait bu trop de liqueur détaxée. Depuis le matin les vents se plaisaient à écoper la mer de Chine, à la vider avec brutalité sur cette partie de la péninsule, le ciel ne prenait plus la peine de se détailler en gouttes mais se défaisait en un flot mou qui explosait sans répit sur les tôles des taxis massés devant l'aéroport, couvrant les chorales de chauffeurs.

A l'abri de la jeep, Pons était contracté. Il identifia tout de suite les Jouvin mais ce furent eux qui l'abordèrent, après deux quiproquos sans gaieté. Jouvin, qui n'avait pas d'épaules, entretenait une raie sur le flanc droit de son crâne, levait à tout propos le sourcil sur un œil pâle, comme Luce il chaussait du 40. La pluie cessant soudain, Luce Jouvin découvrit la chaleur et se mit à boire derechef, transpirant son alcool presque instantanément. Jouvin était trop abruti pour discuter pendant le parcours jusqu'à la plantation, et Pons pensait trop à son avenir. Après la sortie de Gambang, des lapins jaillirent à travers la route et Luce en fut bien surprise, elle eût préféré voir d'autres bêtes moins familières, elle se sentait un peu désappointée, quoique en même temps ces lapins fussent rassurants ; elle tenta d'exprimer tout cela avant de s'endormir sur la banquette arrière.

Spécialisé dans l'eau depuis trop longtemps, Jouvin comprit assez vite qu'il ne serait pas facile de s'adapter au caoutchouc – d'autant moins que Pons, mine de rien, déployait ses efforts pour que les choses parussent très peu compréhensibles. Un soir après les nouilles auxquelles s'habituait mal le couple, Jouvin lui proposa de conserver ses attributions techniques pour une durée indéterminée. Lui-même, dans un premier temps, se familiariserait avec les comptes, les commandes et la gestion du personnel, on lui avait déjà confié ce poste une fois, dans la Meuse, un remplacement chez Culligan. Pons acquiesça : déchargé d'autant, il pourrait occuper ses heures libres à l'examen des corps célestes, s'étant par ailleurs pris du plus vif intérêt pour les observatoires traditionnels. Mais surtout, l'emploi plus souple de son temps lui permettrait d'échafauder un plan visant à l'élimination de ces stupides Jouvin qui menaçaient le moyen terme de son avenir. Il aimait trop sa deuxième vie, presque aussi longue maintenant que la première, il saurait la défendre, ne renoncerait en rien à ses prérogatives ducales. Jouvin lui accordant sa confiance ingénue, Pons savait aussi pouvoir compter sur l'appui des ruraux. Il monterait donc un double jeu. Il laisserait d'abord s'écouler un peu de temps.

Les nouilles pour les Jouvin, ce n'était toujours pas ça. Deux soirs par semaine, sur fond de protestations gastriques, Pons avait entrepris de leur inculquer les grands principes de l'hévéa-culture. Mais après qu'il eut repris les suggestions de Bouychou, résumé les thèses de l'Institut français du caoutchouc, rappelé quelques innovations des plantations Michelin, son enseignement commença de se distordre. Poudrant les yeux de Jouvin par son glossaire technique, improvisant pour Luce sur l'air de la gutta-percha, sans faille logique apparente il démontrait bientôt l'âpre nécessité de durcir les conditions de travail. Antisociales, quelques propositions suivaient concernant les salaires, les horaires, primes et congés, sanctions. Parfait, disait Jouvin, si c'est votre point de vue. Si c'est vous qui le dites, moi je n'ai rien contre. On va leur en parler demain. C'est vous qui devez parler, faisait observer Pons, c'est vous le patron. Vous êtes le patron, vous êtes fort. Vous parlez. Parfait, disait Jouvin.

Le surlendemain comme de juste, entre les rangs d'arbustes, le duc Pons s'indignait à haute voix du train de mesures annoncées la veille par l'ingénieur des eaux. Mettant les ruraux mal à l'aise en leur laissant prévoir d'autres dispositions iniques, il évoquait ensuite d'une voix sourde, par phrases brèves comme s'il parlait seul, le principe du syndicalisme. Ce principe était mal connu. On s'y intéressa. Bientôt naquirent des vocations, se précisèrent des tâches que se disputèrent des responsables. Une petite hiérarchie se fit jour, engendrant quelques jalousies comme le désirait Pons, qui voulut diviser encore mieux. Le plus évasivement du monde, par un jeu d'allusions historiques dont il veillait à se démarquer, il entreprit d'inoculer le germe insurrectionnel dans certains esprits choisis. Succès : peu de semaines s'écoulèrent avant qu'une scission fissurât le noyau syndical. Tôt fatigués par le rodage de ce petit appareil neuf, une frange de ruraux radicaux préconisait impatiemment l'action dure, à rebours d'un marais légaliste. Autour des deux frères Aw, qui incarnaient grosso modo ces tendances, on disputait vivement de trois objectifs, chaque jour plus urgents : abrogation immédiate des arrêtés Jouvin, départ du couple à bref délai, rétablissement de l'ancien système dont l'indispensable duc constituait la clef de voûte, discrète et bien-aimée. Le plus jeune des frères Aw insistait moins souvent sur cette troisième exigence, ne laissant pas d'agacer Pons pour qui tout cela faisait quand même de rudes journées.

Tard le soir, après un coup d'œil sur le ciel constellé, c'était reposant de consulter encore les plans, les photographies de vieux instruments astronomiques. Si le duc parvenait à se maintenir ici, l'un de ses espoirs était de s'en construire un pour lui tout seul, en bord de jungle. Ce serait juste un gnomon, haut triangle maigre en

14

maçonnerie, cadran solaire géant d'une assez grande facilité d'exécution. Mais la brique revient cher à l'est de Malacca. Par quoi la remplacer, se demandait Pons. Toutes ces questions formaient son ordinaire, employaient tout son temps, lui évitaient d'éveiller sa vie d'avant.

Pas plus que Jean-François Pons, Charles Pontiac n'évoquait le passé, aussi songeaient-ils très rarement l'un à l'autre. Ils s'étaient pourtant bien connus, assez bien entendus tout en aimant cette même Nicole, ils s'étaient même porté de la considération. Charles s'était habitué maintenant, depuis longtemps, à vivre sans domicile fixe. Cette ascèse présuppose une méthode. S'il pouvait en effet dormir sous les ponts, sur les grilles du métro, dans les entrées d'immeubles et les sorties de secours, les escaliers de service, les caves plutôt que les combles, il aimait bien aussi s'être assuré l'accès nocturne d'établissements publics, bureaux, bibliothèques, musées qu'il visitait longuement, considérant les œuvres à la seule lueur de son Zippo.

Nicole Fischer les chercha donc inutilement. Ils l'avaient trop aimée pour ne pas disparaître, l'un devenu duc et l'autre errant sans que rien ne laissât prévoir de tels destins. Durant quelque douze ans, les uns des autres on ne devait rien savoir. Puis on se dégela, s'expédia des nouvelles, quelques miettes de nouvelle. Pons, tant que ce fut possible, reprit le contact avec sa sœur, se tenant au courant des progrès de Paul J., de sa croissance et de ses espoirs. Nicole reçut une vue de Java, au dos de quoi Jean-François résumait en quinze mots sa vie depuis tout ce temps. Beaucoup plus tard ce fut une enveloppe en papier bulle, oblitérée à la poste centrale du Louvre et qui contenait juste une adresse à Levallois, de la main de Charles, au crayon. Mais il était trop tard, elle ne répondit plus. Elle ne les revit pas.

Charles quant à lui ne l'aperçut qu'une fois, au fin fond du métro, elle en première presque vide, lui depuis le quai de la station Picpus, une assez bonne station – public d'habitués, personnel complaisant, rareté des hommes en bleu. Il s'y trouvait en compagnie de collègues derrière lesquels, promptement, il se dissimula jusqu'à ce que la rame eût disparu. Les collègues s'étaient regardés, surpris : Charles n'était pas d'ordinaire un homme très émotif, un homme très démonstratif. Son calme leur inspirait plutôt le respect, léger respect nuancé de crainte et d'incompréhension bien qu'il se fût toujours montré prévenant, voire d'assez bon conseil. Le duc aussi, dans le temps, éprouvait devant Charles cette même qualité de crainte. C'était là sa considération.

2

Il y a maintenant Justine Fischer dans une chambre grise. La jeune femme est en train de coudre une mouette blanche dans le ciel gris. Elle est penchée sur son ouvrage, assise au milieu du grand lit recouvert de zèbre synthétique et borné par des coussins de lurex. Le lit investit presque toute la chambre, la fenêtre donne sur un square planté d'une douzaine d'arbres au feuillage perpétuel et d'une douzaine d'autres qui ont l'air morts, la nuit tombe encore tôt. Deux meubles bas se serrent le long des murs comme des rats frileux, hors de portée d'une lampe calée sur le lit en équilibre instable.

Justine Fischer aurait trente ans dès que les journées seraient longues. Un soleil brut pesait toujours sur ses anniversaires, forçant à serrer le gâteau dans le réfrigérateur. On ne voit pas son visage derrière les boucles, ni son corps sous une ample chose bleue, on ne voit que ses mains, ses ongles rouges traçant des graphes, braises déclinant dans l'ombre un alphabet martien.

Au cinquième étage d'un immeuble en pierre blanche, Justine partageait avec Laure soixante-dix mètres carrés. Ce devait être d'abord un séjour provisoire, le fruit d'un arrangement, c'était devenu un campement de sultanes en vacances, ne se trouvant pas si mal au milieu du désert, pas trop loin d'un point d'eau, juste entourées d'utiles objets légers à portée de main sur des tapis.

Dehors, au-delà des arbres se développait un diorama d'ateliers vitrés, de petits commerces au rez-de-chaussée d'autres immeubles qui se dissolvaient dans la nuit tombée. Autour du square sinuaient des phares tels des poissons-torpilles, en quête d'une anfractuosité dans le roc parcmétrique. Les fenêtres étaient des carrés jaunes et des rectangles blancs, des cadres contenant d'autres cadres : à la télévision, une grosse machine aléatoire crachait des boules de couleur vive.

J'avais le onze, regretta Laure, presque le vingt. Le téléviseur était petit, portatif, surmonté d'une antenne en v, suivi de rallonges interminables. Laure l'emporta dans la cuisine où les glaçons bondirent de leur étui de caoutchouc. Ils grelottaient ensuite dans le gin, vers la porte de la chambre grise. Laure poussa la porte.

Justine régnait toujours sur ses tissus achetés le matin même chez Reine et chez Dreyfus, au pied du funiculaire – grands magasins exhaustifs, bourrés de toute espèce concevable d'étoffes et de femmes appropriées, rondes brunes à dorures, sèches pâles à rayures, satinées de beige sur net chignon blond, adolescentes fluorescentes. Laure l'y avait accompagnée puis elles étaient rentrées ensemble, achetant au passage des fleurs et du veau près du restaurant khmer qui mange le coin de la rue de Prague, passant ensuite devant la salle de boxe puis l'antenne de police, celle-ci flanquée d'une guérite en bois gris contenant un agent vivant.

Elles étaient des amies d'enfance, sans avoir fréquenté les mêmes établissements. Elles s'étaient rencontrées loin de l'école, au cours d'une matinée organisée par le Club Magique de Villemomble, et d'abord elles ne s'étaient pas plu du tout. Elles burent un peu de gin avant de sortir, mirent un peu d'ordre suivies de leurs verres, laissant des ronds humides un peu partout. Laure se couvrit de sa fourrure et Justine d'un chapeau, le tapis de l'escalier amortit leurs talons. A huit heures moins vingt-cinq elles allaient d'un pas vif, dans l'air vif, voir un film avec Richard Widmark.

Trente ans auparavant, on démolit une biscuiterie faillie dans la rue Jules-Verne, qui est ingénieusement parallèle au passage Robert-Houdin. A sa place on fit s'élever une petite résidence au goût de l'époque, quatre étages aux balcons profonds délimités par des claustra, meublés par des séchoirs, avec une pelouse intérieure mal rasée sur quoi donnaient de plain-pied un rang de studios. Entre les portes-fenêtres de ceux-ci, les eaux de ruissellement avaient badigeonné de sombres formes stalactiques sur le crépi fendu. Bob vivait là.

Donc il y a maintenant Bob, et Paul est venu le voir. Chez Bob, c'est exposé au nord : on voit, quand il est vif, le soleil enduire toute la journée le mur d'en face, plus ou moins ricocher contre lui, mais on ne le reçoit jamais directement. Le studio est exempt de cette érosion, comme vierge, privé de projecteur dans l'ombre perpétuelle de la coulisse, côté cour. C'est assez calme.

– J'arrête, dit Paul.

C'est assez calme, compte non tenu des nombreux membres de la famille du dessus qui s'insultent aigûment dès l'aurore, menacent d'en finir jusque tard, dans un fracas de friture chronique et de chasse d'eau. On arrête tout, dit Paul. Les Italiens, c'était la dernière fois.

– Ça s'est bien passé, rappela Bob, avec les Italiens. Ça s'est très bien passé avec les Italiens.

– Pour gagner quoi, se demanda Paul. Trois sous,

une brouille avec les Belges. Non, non. Comment s'appelle ce type, déjà, le petit type ?

Bob aussi, on le trouvait plutôt petit, on le trouvait sec et pointu, nerveux comme certains musiciens, certains mécaniciens. Il ôtait le moins souvent possible un blouson de cuir plein de poches en biais. Comment tu l'appelles, insista Paul, le sale petit type qui est toujours avec Van Os ?

– Toon n'est rien, dit Bob, c'est Van Os qui compte. Il t'aime bien, Van Os.

– C'est ce qui m'inquiète.

– Il doit t'envier, supposa Bob. Il est mal dans son corps, Van Os, ça se voit. Il se force mais ça se voit.

Paul montait ses épaules en tournant dans le studio, les mains dans ses poches en tweed. Paul se changeait plus souvent que Bob, il était plus grand, plus riche et d'autres choses encore les distinguaient, leurs goûts alimentaires, leur vision des couleurs, la femme qu'on ne trouvera pas. Pourtant ils s'étaient reconnus semblables, usagers des mêmes biais, du même bord – un bord mal éclairé, peu confortable, parfois même auquel on s'accroche, nos pieds gigotent alors ensemble dans le vide. Eux s'étaient rencontrés pendant une soirée costumée, Paul n'était déguisé en rien mais Bob en appareil-photo.

Paul vivait des revenus de l'imprimerie familiale, Bob de cascades pour la télévision. Ensemble ils trafiquaient aussi parfois de petites choses, moteurs gonflés, haute fidélité, petits pistolets fournis par Tomaso. Ce trafic de petits pistolets n'excédait pas le marché parallèle des collectionneurs, des tireurs sportifs, des malfaiteurs légers. Ils avaient ainsi dépanné Van Os quand il n'était qu'un malfaiteur léger, fraîchement installé, en humble situation irrégulière. Mais l'homme prenant quelque importance, hospitalisant trop de caissiers, ralliant les forces vives de l'insécurité, Paul et Bob inquiets de cet essor souhaitèrent ne plus s'occuper de lui. Etourdiment, alors que Paul tentait de persuader Van Os du tarissement de la source à pistolets, Bob ému bradait deux Parabellum suisses à un couple italien aux abois. Van Os l'avait appris, mal pris, puis il s'était calmé mais s'obstinait toujours à réclamer sa panoplie. Il insistait. Nous en étions là.

Une sorte de bar isolait la cuisine du reste du studio. Paul contourna ce meuble, rinça une chope publicitaire dont s'écaillait la décalcomanie, l'emplit d'eau, contempla la pelade gazonnée par la porte-fenêtre. Bob entreposait là des pneus, parfois de nombreux pneus qui courrouçaient la copropriété. Paul reposa son verre sans avoir bu, ramassa son manteau, se tourna vers la porte.

Paul J. Bergman, un homme qui est au milieu de sa vie si tout va bien, sortit dans la rue Jules-Verne et regagna sa Mitsubishi Colt. Suivant les sens uniques, il contourna quelques pâtés de maisons avariées pour retrouver la direction du sud. Quatre grands hommes noirs, rue de la Fontaine-au-Roi, tiraient une grande chèvre noire morte du coffre d'une petite Renault bordeaux. Au tableau de bord du véhicule, les cadrans et voyants disaient que tout est normal, la montre digitale affichait dix-huit heures, l'autoradio donna du Buxtehude puis du Joe Pass, un instant shuntés pour qu'une proche voix soyeuse vînt confirmer que tout est normal.

La Mitsubishi franchit le fleuve par le Pont-au-Change, s'empêtra sous les froideurs de la rue Danton avant de chercher vainement sa place autour de l'Odéon, enfin réduite à s'abîmer dans le plus proche parc souterrain. Chercherait-on Paul qu'ensuite on l'eût trouvé mangeant du poisson cru chez un nippon, rue des Ciseaux. Il déjeunait et dînait souvent seul à présent, depuis six mois qu'Elizabeth n'était plus là, à n'importe quelle heure et souvent de choses crues comme si la solitude induisait une résurgence barbare.

Un peu plus tard, entre chien et loup, le combat cessa d'être égal. Le ciel sur le boulevard était une jambe violâtre, rayée de nuages variqueux. Paul avançait sans direction déterminée, ses yeux croisant ceux des mannequins dans leurs vitrines. Rien ne prouve qu'il ait prémédité cette entrée de cinéma, soixante personnes devant, des couples qui cherchaient, trouvaient des choses à dire ou s'embrassaient en désespoir de cause, des solitaires enfouis dans leur journal, de petits lots unisexués comme ces deux filles à côté de Paul, dont une éblouissante blonde coiffée d'un chapeau de monsieur. Le cortège patientait en frémissant sur place comme une chenille, chacun prêtant un peu d'oreille aux conversations limitrophes, détournant tout son regard lorsqu'un jeune anglophone aux dents vertes, douze cordes à l'appui, venait crachoter d'un peu trop près que le moment qu'il préfère est le matin, quand lui-même et sa bien-aimée marchent régulièrement dans le parc, parmi les paons, sous l'astre rose. La bien-aimée suivait, proposant un gobelet timide où l'on se défaisait de sa monnaie jaune.

Cette blonde à couvre-chef, près de Paul, se penchait vers la brune à fourrure qui n'avait pas de cigarettes non plus. Paul tendit, l'air de rien, son paquet de Senior Service ouvert. La jeune femme accepta, souriant avec mesure, soufflant un remerciement dans un autre sourire fantôme du précédent, laissant Paul chercher le feu dans ses poches. Mais elle possédait son propre briquet, doré, en forme de château d'eau, qu'elle actionna en se détournant pour signifier que l'on s'en tiendrait là. Puis c'était l'heure, on fut au chaud, tout près les uns des autres face à Richard Widmark.

On le vit tenir son rôle, puis les regards brillaient sous les néons revenus. On sortit de la salle comme d'un sommeil, en vrac, bouche sèche et fuite de la pensée, piétinant et se prenant pour un autre. Paul suivait plus ou moins la jeune femme dans le flot spectateur, s'aidant de son feutre comme d'une bouée. Il parvint à se retrouver non loin d'elle, s'arrêta devant les photogrammes sous verre comme s'il voulait réviser le film.

Elle et la brune se consultaient, leur discussion n'était pas bien audible. Comme Paul jetait un œil prudent sur le chapeau, sa détentrice le balaya d'un haut regard qui n'encourageait pas. Il baissa les épaules mais aussitôt après, d'une voix distincte, elle faisait part de son projet d'aller revoir Richard Widmark dans une salle des Gobelins, mardi prochain même heure. Très vite ensuite elles disparurent au fond de la rue Christine, à droite. Paul demeura devant l'entrée du cinéma, jusqu'à ce qu'y fussent tous avalés les spectateurs de la séance suivante. Il évalua le fond gauche de la rue, qui était inoccupé, puis le ciel : au-delà des réverbères c'était tout noir, on ne voyait rien dans ce noir, sauf que ce rien paraissait proche.

4

Quand le ciel est ainsi, c'est parfois qu'il pleuvra. Quand il pleut trop, l'eau monte dans le lit de l'affluent, dans les canaux, dans les gouttières, elle envahit les berges du fleuve et même les voies express, elle chasse vers la surface du sol les hommes et femmes sans domicile fixe, et aussi les rongeurs au petit regard saillant froidement à fleur de boue, au poil hirsute découvrant une peau blême, au long museau fendu sur l'arête de leurs dents jaunes et rouges d'un sang impur.

Mais il pleuvait à peine cette nuit, les gens des ponts restaient cois sous leur conglomérat d'étoffe et de carton, les pieds ficelés dans le journal. Par exemple il y en avait trois, près du pont Alexandre-III, deux d'entre eux embrassés formaient un tas de sommeil, l'autre dormait dans un caisson oblong fait de cagettes avec une bâche en plastique vert dessus, zébrée de boue sèche et de goudron. Dépassait de ce volume une paire de tennis marine et ciel, râpées, quelquefois animées par les orteils qu'elles contenaient. Leur détenteur toussa, se gratta dans son box dont les parois frémirent, puis rampa sur le dos vers l'extérieur, les pieds devant, déjà vêtu d'un pantalon de tergal gris, d'un col roulé tête-de-nègre et d'une parka olive fourrée, lacet à la taille, capuche escamotable, bons et solides vêtements d'ouvrier agricole comme on en trouve sur les marchés. Usés sans déchirures, malpropres superficiellement, tout de suite ils avaient l'air de quelque chose dès que Charles dressé les eut rajustés, rentrés l'un dans l'autre, chassant le débraillé, tout de suite cela vous prenait de la tenue.

Charles Pontiac entretenait sa tenue. Lorsqu'il se trouvait sale il se rendait, faute d'une meilleure opportunité, dans quelque station de métro mieux contrôlée par les hommes bleus. Ceux-ci vous remontent sans trop de violence vers la rue, vers un autobus comme les autres sauf qu'il est gris fer, ses vitres sont opaques, on y voit votre identité. Ensuite on vous mène à l'hospice de Nanterre où l'on vous douche et désinfecte et donne un repas, vous dormez, c'est l'occasion de rencontrer du monde. Mais Charles s'en tenait à quelques proches, parmi lesquels cet enchevêtrement torpide auprès duquel il dormait quelquefois. Ordinairement basé à Saint-Ambroise, d'autres de ses habitudes le menaient au canal Saint-Martin, voir Vidal et ses cannibales, et il y avait aussi madame Gina de Beer, métro Brochant. Nombre de ses parcours se faisaient solitairement, Charles disposant d'abris individuels que nul ne partageait. Et puis on sait ce que c'est que cette vie, le matin on se remet de sa nuit puis on cherche un café, c'est toute une affaire à laquelle succède la question du casse-croûte ; celle-ci réglée, on a passé la journée.

Il était devenu par ailleurs un homme aux cheveux bruns, courts, drus, avec une peau rouge et dure, un cou rouge et épais, de grosses phalanges rouges et blanches. Il s'approcha du fleuve, trempa une main qu'il se passa sur le visage en fermant fort la bouche, soufflant fort par le nez, il s'essuya de sa manche et cracha plusieurs fois tout en se dirigeant vers l'escalier. A hauteur de la ville, personne : nul n'a que faire à cette heure-ci d'être dehors dans le noir et le froid. Charles se retourne vers ses pareils pressés dans la flaque jaune d'un réverbère, ensuite il se met en marche.

Il franchit la Seine sous les dorures du pont, suit le quai jusqu'au Louvre dont il passe les guichets – le jour se lève sur le petit arc de triomphe qui est là, joli petit objet clair qu'on voudrait toujours emporter avec soi. Il passe le quartier neuf vers le boulevard Sébastopol, la lisière du Marais vers la République dont l'allégorie se trouve enchâssée dans un jeu de poutrelles perpendiculaires, pareil à la figuration d'une molécule. Après l'encaissement d'un peu de Faubourg-du-Temple, c'est un carrefour déjà complexe et supérieurement embrouillé par une écluse, en aval de quoi le canal glisse au-dessous du sol. Tout le jour passent ici des péniches, considérées depuis le square ponctuel par des inactifs accoudés au buste de Frédérick Lemaître. Quittant le sas où elles se dénivellent, elles s'enfoncent dans le bief que le boulevard couvre jusqu'à la Bastille. Le canal, sur quelque quinze cents mètres, devient donc un tunnel bordé de quais, fermé au public par des barrières et des chevaux de frise. Mais Charles Pontiac n'appartient pas comme les autres au public, il enjambe les barrières, pénètre dans la galerie. Charles est un homme de souterrain, la nuit s'achève à peine qu'il veut retrouver le noir, il veut retrouver des amis à lui.

27

5

Maintenant c'est Bob qui était venu voir Paul, dans son avant-dernier étage d'une tour sur le front de Seine. Du fond d'un fauteuil rouge, devant la baie vitrée donnant à l'est, vers les gratte-ciel du treizième aux suffocantes vertèbres, Bob lançait par intermittences des sujets de conversation. Mais, ressaisi par la mélancolie, Paul ne renvoyait rien, ne répondait même plus. Malgré les efforts de madame Perez chaque mardi, l'état négligé des lieux transpirait l'absence d'Elizabeth ; aux murs, des quadrilatères clairs faisaient foi des tableaux qu'elle n'avait pas laissés. Paul combattait souvent l'absence en assistant souvent à des soirées privées dont il faisait souvent la fermeture après avoir perdu conscience, découragé sa conscience. Au mieux, il pourrait se voir confusément emmené par une semblable au prénom peu crédible, tombant trop tôt d'un lit qui ne lui serait rien, ralliant l'appartement spécialement froid ces matins-là comme un reproche, s'abattant dans le fauteuil rouge, on sait ce que c'est que cette vie. Tout le jour sa tristesse était multipliée, se relâchant juste assez le soir venu pour lui permettre de ressortir – un cycle en quelque sorte, sous le pernicieux effet de quoi Paul ne répond même plus. Bob se lève donc, ses efforts étant vains, s'en va se coller contre la vitre : tiens, il y a un avion dans cet air de plomb. Ah non, ce n'est pas un avion.

– Je t'ai parlé, soupire quand même Paul, de cette

fille. Celle que j'ai vue au cinéma. Dans le cinéma, entendons-nous bien, dans un vrai cinéma. Une fille réelle.

Bob ne réagit pas. Une fille réelle, s'appesantit Paul, voilà ce qu'il nous faut. Bob hausse une épaule, voit la ville écrasée sous tout ce plomb. Ce n'était que des volatiles qui faisaient l'avion, somme toute, une bande de volatiles maintenant leur initiale assez lisible parmi les nuages en filigrane. Ce sont des migrateurs qui veulent couvrir, vers l'est-sud-est, neuf mille kilomètres à vol d'oiseau. Insoucieux des périls de l'entreprise, ils s'élanceront au-delà de Joinville-le-Pont sans un instant dévier leur trajectoire. D'abord ils ne distingueront nulle mer au-dessous d'eux sauf un peu de Noire, après avoir suivi le fleuve qui s'y noie, s'étant même posés sur sa rive pour souffler un peu, extraire quelques lombrics roumains arrosés d'un quart de Danube, surveillant d'une pupille impavide les huppes et les hérons du cru qui vociférent dans leur slovène spécial. Laissant l'Europe orientale, cap sur le mont Ararat, ils survoleront les restes de l'arche où s'abritèrent leurs ascendants, puis des mollahs puis des brahmanes les verront s'éloigner vers le golfe du Bengale ; on interprétera leur passage.

Longue est la traversée du golfe et l'on devra se poser parfois sur les récifs, les épaves dérivantes, les planches de secours, le gréement d'un navire de rencontre. Au large des îles Nicobar, on profitera ainsi du m /s *Boustrophédon,* petit cargo de cinquante mètres battant complaisamment pavillon cypriote après avoir changé huit fois de port d'attache et de nom, peuplé d'un équipage réglementaire de six personnes, équipé d'un radar, d'un radiogoniomètre et d'une sonde à écho, avec un émetteur d'ondes ultracourtes grâce à quoi le capitaine Illinois communique avec les stations côtières.

C'est un cargo polyvalent que le *Boustrophédon,* conçu pour le transport de toute sorte de marchandises et doté d'une vaste cale unique, ce qui simplifie les opérations de chargement. Assurant en principe l'aller-retour avec l'Orient, son itinéraire n'est pas assujetti à des escales déterminées comme celui d'un navire de ligne. On peut le mener de port en port, au gré des frets, livrant sans sourciller des bananes à Londres ou du cirage à Trivandrum, cette fois c'était trois mille bidons de produits bitumineux à destination de Sourabaya.

Il est quinze heures, le capitaine se tient sur le pont supérieur, son vieil œil ciel parcourt l'horizon bleu de Prusse de l'autre côté duquel, ce matin, les îles ont basculé. Le calme est plat, la mer est un disque désert dont le cargo serait le centreur, l'œil d'Illinois la pointe de lecture. Hier, le navire a contourné la péninsule de Malacca, ayant appareillé trois jours plus tôt vers l'occident chrétien, les cales bourrées de caoutchouc, d'huile de palme et d'étain. Tout est tranquille à bord mais c'est pure apparence, en fait les marins se plaignent sourdement des conditions qui leur sont faites. La nourriture, trouvent-ils, manque d'abondance et de fraîcheur. Dès lors, comment s'étonner de ce qu'une détonation claque à l'arrière du cargo, des deux hommes qui se ruent vers le migrateur mort, se disputent la chose tiède mais doivent trouver un compromis puisque ensemble ils l'emportent aux cuisines. Le capitaine détourne doucement son regard de cette scène, il aime à retrouver l'inspection océane. Eperdus, vite oublieux de leur deuil, les oiseaux ont repris leur envol exténuant, déjà loin du navire, aussi loin que possible, dans le sens inverse de son sillage, droit vers la Malaisie.

6

Trente paysans malais s'assoupissaient sur des bancs parallèles, en contrebas de l'estrade où deux des blancs tournés vers eux somnolaient mieux dans leurs fauteuils. Les paysans portaient la tenue de travail habituelle, du chiffon bleu noué sur les reins, parfois agrémenté d'une bande d'étoffe en bandoulière. A peine plus vigiles, des contremaîtres chinois les encadraient – c'est chose fréquente à Malacca que les Chinois grimpent l'échelle sociale plus agilement que les natifs. Celui des blancs qui ne dormait pas lisait des chiffres, des séries de chiffres et de pourcentages que transposait un interprète aux décimales près. Cela se passait une fois par mois. C'était l'usage. Les paysans devaient se taire pendant la conférence, c'est tout ce qu'on leur demandait contre une prime d'un vingtième de dollar malais.

Assis à gauche de Luce Jouvin, le duc Pons haussa une paupière. Une longue paroi de la salle était percée de fenêtres par lesquelles, au-delà de l'usine à latex, il vit se développer les rangées d'hévéas ; la chaleur produisait des ondes molles qui déformaient les perspectives d'arbustes, comme sous l'effet d'une brise invraisemblable en cette saison dans cette partie du monde. Sur le mur opposé, de hautes glaces romantiquement rongées par les moussons doublaient la quantité de ruraux, et le ventilateur au plafond défalquait un peu de moiteur. Pons avait bricolé ce ventilateur onze ans plus tôt, à partir d'une hélice de chasseur-bombardier Vampire de Havilland abîmé dans la jungle en plein raid vers 1953. Il avait découvert lui-même l'épave peuplée de rampants, de rongeurs côtoyant et même traversant le squelette casqué agrippé aux commandes, la phalangette de son index soudée au bouton du siège éjectable. Avant de se mettre à démonter l'hélice, le duc avait rétrospectivement tremblé pour le fiancé de Nicole Fischer.

Pons portait presque soixante ans sous un sweat-shirt d'un noir verdi, taché, décousu aux épaules ; il était long, sec, son regard était sec au bout de son cou. Raymond Jouvin suait en revanche profusément tout en lisant ses chiffres et Luce Jouvin dormait sous ses grosses lunettes, elle dormait en ronronnant parfois, elle dormait dans sa cretonne imprimée de fleurs fanées ; c'était elle en principe qui présidait la conférence mensuelle. Sous le poids de cette institution, il apparut que le personnel commençait à s'impatienter : les ruraux chuchotaient, donnaient du coude, pouffaient dans leur sabir, une atmosphère récréative menaçait de gangrener la réunion.

– Réagissez, Raymond, grogna le duc par-dessus Luce qu'un rêve en cet instant faisait geindre. Dites quelque chose, vous voyez bien qu'ils se dissipent. On ne va plus pouvoir les tenir, après.

Jouvin puis son interprète regardèrent Pons avec indécision. L'interprète était un Négrito d'une tribu proche de la frontière siamoise. Sa peau était obscure, ses cheveux blanchissaient, sa bonne volonté lassait. L'hésitation de Jouvin, qui suspendit ses comptes, permit que se formât au fond de la salle un mouvement plus net auquel, d'abord, ne se mêlèrent pas les Chinois. D'une voix mesurée, l'un des ruraux venait de se lancer dans un petit discours. Pédagogique, Jouvin frappa le coin de la table avec ses doigts, en vain. Soucieux de répercuter la moindre nuance patronale, l'interprète fit de même du bout de ses ongles cannelés, sans autre effet que l'éveil en sursaut de Luce, le lever de ses paupières lourdes derrière toutes ses dioptries.

Luce avait une grande et grosse bouche, avec une langue disproportionnellement volumineuse à l'intérieur ; cela fatiguait sans doute de toujours contenir l'une dans l'autre, aussi Luce devait-elle faire sortir cette langue de temps en temps, comme on étire ses membres ou promène son chien. Elle la fit aller sur ses lèvres épaisses, gonflées comme des pneus gercés, puis maronna quelque chose à l'adresse de l'interprète. Heureux de n'avoir plus à traduire, celui-ci cligna, sourit, disparut, revint porteur d'un gobelet de métal dont Jouvin ne voulut pas identifier le contenu. Il détourna son regard, alors que Pons donnait vers Luce de toutes ses dents. Profitant de ses excès, d'une lucidité moindre qui s'ensuivait, le duc s'était aventuré cinq ou six fois vers ces muqueuses exceptionnelles qui engloutissaient d'un trait le contenu du gobelet, qui articulaient ensuite : qu'est-ce qu'il a, qu'est-ce qu'il veut.

– Toujours les mêmes, observa Jouvin. Qu'est-ce qu'il raconte, Jean-François ?

– On entend mal, prétendit Pons, je ne saisis pas tout.

Toute l'assistance s'était progressivement tournée vers l'orateur aux pupilles véhémentes, et dont la chevelure noire produisait du bleu. Son pagne pendait comme tous les pagnes, mais de petites pierres semi-précieuses incrustées sur le devant de ses incisives dénotaient un souci de chic. Son buste était aussi tatoué d'aigles, de pensées et de motifs abstraits parmi lesquels, sur son épaule, des galons peut-être fortuits. C'était un long jeune homme au long visage décoré d'un petit nez, d'étroites oreilles aux lobes élongés par des breloques polythéistes. Il parlait, ses pareils l'écoutaient. Même les contremaîtres commandés par Kok Keok Choo, d'abord indifférents, finirent par s'expédier quelques diphtongues, puis des vues s'échangèrent avec les ruraux, et tout le monde bientôt commentait à chaud la péroraison du plus jeune des frères Aw. Seul son aîné se taisait en le regardant, lui ressemblant comme une première ébauche, une photo floue. S'il partageait presque toutes les idées de son frère, l'aîné des Aw s'en tenait à une action plus intendante, préférant pointer les absents aux réunions syndicales, collecter les cotisations, rédiger les comptes rendus de séances et les discours du benjamin dans sa graphie de lettré.

— Voilà les Chinois qui s'y mettent, constatait Jouvin. Faites quelque chose, Jean-François.

— Mais qu'est-ce qu'il veut, réitéra Luce.

— La même histoire, fit Pons, les conditions de travail, pas de secret. Les horaires, les salaires, il n'y a que ça de vrai.

Il éloigna ses mains l'une de l'autre. Jouvin fronçait et plissait tout en feuilletant la comptabilité, clavecinant sa calculatrice pour soutenir le récitatif du jeune Aw. Il jeta son coude en arrière, fort de sa démonstration :

— La question du salaire, vous verrez qu'on ne peut pas. Supposons deux pour cent, moi je veux bien, je ne tiens pas compte des charges et ça nous fait. Ça nous fait ça nous fait, renifla-t-il en extirpant une molle particule blanche du coin de son œil, bien sûr qu'on ne peut pas. On perd.

— Tenez bon, approuva Pons, restez ferme. Ne cédez rien. Vous comprenez (il désigna son doigt avec son autre doigt), on leur donne ça et alors eux, tout de suite (il montra tout son avant-bras).

Le désordre enflait dans la salle. Luce dit que quelqu'un fasse quelque chose, fasse quelque chose.

– C'est un peu tard, fit le duc, ils sont énervés maintenant. Enfin, on va bien voir. Berhenti, lança-t-il, berhenti.

Cela signifierait quelque chose comme stop – et, Pons détenant quelque ascendant sur les Malais, l'aîné des Aw eut un geste en direction de son jeune frère qui freina brutalement, rangeant son discours sur un bas-côté de sa conscience. Allons, poursuivit Pons avunculo-vernaculairement, allons allons. Les ruraux se retournèrent avec docilité ; curieusement les Chinois, en principe mieux disciplinés, prolongèrent un instant la rumeur.

Le duc fit diversion par l'annonce d'innovations techniques mineures : on généraliserait désormais l'emploi de bouillies anticryptogamiques, et l'on doublerait dès demain la première équipe de seringueros. Au lieu des vieux fûts de tôle d'acier, on recourrait maintenant à un camion-citerne faisant la navette avec la côte, d'où le caoutchouc filerait au Havre – port français, rappela Pons – sur un navire aux destinées duquel présidait le capitaine Illinois – que vous connaissez, rappela Pons, que vous estimez. Il rappela aussi l'annonce de son prochain départ, une semaine ou deux, dont la date n'était pas encore bien fixée. Les paysans prirent acte de ces informations ; peu après la séance était levée.

Peu après le duc s'immergeait dans la lumière blanche et l'air serré comme une boisson chaude. Au sortir de la villa Jouvin, cadre des conférences mensuelles, trois cents mètres le séparaient de son bungalow de fonction. Deux pièces : au coin de la plus grande, une forte lunette d'observation dressait son objectif vers une trappe ménagée dans le plafond, et que Pons ouvrait pendant

35

les nuits pures. Ayant quadrillé le ciel jusque tard dans la précédente, il s'était couché sans refermer cette trappe d'où les photons se déversaient à présent, diffractés sur les pollens en suspension, plaquant toute la poussière au sol.

Il s'assit devant sa table coincée dans un autre angle, tenta d'y avancer dans la lettre qu'il avait commencée – première lettre après un long silence, très délicate à composer. Tracées la veille au soir sur un carré de papier, quatre lignes attendaient leur suite. Pons préféra froisser, prit un autre papier, écrivit ma chère Nicole (barra), chère Nicole (barra), Nicole, froissa derechef puis regarda la table elle-même. Déplaça quelques objets qui s'y trouvaient. N'aboutit qu'à sophistiquer le désordre.

Il y avait là des livres extrêmement relus, ou partiellement relus – ce que signalait alors un filet beige plus soutenu le long de la tranche –, autant de brochures plus ou moins licencieuses, plus ou moins dégrafées, des boîtes de bière Tiger, des crayons, des boîtes de bière Tiger évidées contenant d'autres crayons, des lunettes de soleil rayées, trois mouchoirs en coton chargés d'humeurs diverses, et puis les papiers périmés, les tickets obsolètes et les briquets sans gaz et les montres sans pile, les timbres et les peignes sans dents sous la photo du neveu qui ne tient plus en place dans son cadre ; c'était aussi deux dés malpropres, épuisés par la passe anglaise, un tube d'aluminium contenant huit grains d'opium, des clefs rouillant ensemble sous une alliance d'inox, de la monnaie, de la ficelle, des capsules de bière Tiger, une boîte en fer contenant deux boîtes de fer contenant une poire en caoutchouc prolongée d'un tuyau putride ainsi que d'autres choses n'ayant pas de nom, des choses qu'on ne peut pas désigner par des noms, si ce n'est un fuseau de catgut. Pons ne regardait pas tout cela sans un petit plaisir, avec un petit découragement qui ne tuait pas le plaisir. Donc il bâilla tranquillement mais ne put achever ce mouvement puisqu'on l'appelait (duc, duc Pons) de l'autre côté de la trappe, au-dessus de lui ; il leva les yeux.

– Qu'est-ce qu'on fait, comment on fait ? demandait le jeune Aw.

Ces deux questions sont également distinctes en malais. Promptement, Pons examina l'espace alentour : vierge de témoin, il permettait un bref colloque.

– Tenez bon, dit-il, restez fermes. Ne cédez pas. Tu comprends, ajouta-t-il en levant un doigt, si tu leur laisses faire ça.

– Oui, dit le cadet.

– File, maintenant. On ne doit pas te voir ici.

Une fois le syndicaliste évaporé sous le soleil, le duc put reprendre et mener à terme son bâillement. Puis il se dirigea vers la lunette, rabattant au passage une courtepointe sur les draps incertains. Coincé contre l'oculaire, son œil ne perçut qu'une blancheur un peu brune, un peu douloureuse, furtivement traversée de taches floues. Intrigué, Pons fit le point : ce n'était jamais que les mêmes oiseaux migrants ordonnés en pointe de flèche, poursuivant leur survol rectiligne par le cap est-sud-est, prochaine escale Java.

37

7

Le duc n'était pas seul à cultiver les objets célestes. On trouve dans le quartier, dit Bob à Paul, nombre de spécialistes qui ne se bornent pas à les scruter, à chiffrer leur position, mais qui calculent aussi leur influence sur le destin commun. On les consulte dans l'indécision, dans le malheur.

Or Paul était dans le désarroi. C'était un homme tout seul depuis qu'Elizabeth était partie, un homme qui ne pouvait plus se tenir le soir chez lui et qui traînait sans espérance dans le compte à rebours des crépuscules, tuait des moments de silence avec des hommes pareils à lui, rendait de tièdes visites à des foyers amis, doux foyers régulièrement repeints et aspirés, pastellisés d'abat-jour et de joues de petites filles, de légumes suaves et de rosbif tranquillisant, d'éclatante vaisselle, d'odeurs fraîches et d'odeurs de velours – alors que le solitaire mange, s'il mange, son riz sans apprêt à même la casserole, son pilchard à même la boîte, debout sur sa moquette parmi les taches et les moutons. Tristesse de Paul, tristesse de l'homme quitté : sa vie est une toundra sans horizon, purgatoriale, qu'il traverse indéfiniment sans lever les yeux par crainte des flaques d'eau.

– Tu ne peux pas rester comme ça, dit Bob.

C'était encore un très mauvais mardi pour Paul, rencogné verre en main dans le studio de la rue Jules-Verne, assis sur l'extrême bord du plus mauvais fauteuil. Le plus mauvais fauteuil vomissait par en dessous des spires d'oxyde et de la paille verte, des lambeaux de jute corrompu. Installe-toi mieux, dit Bob, regarde comme tu es mal. Paul considérait la surface du liquide incolore dans sa main : un glaçon tournait lentement à l'intérieur du verre, comme un moine vieillissant s'amenuise dans son cloître.

Cela se passait souvent ainsi depuis la démission d'Elizabeth. Paul sonnait, Bob ouvrait, Paul entrait, Bob descendait acheter à boire chez Benamou. Plus tard, lorsque Paul n'était pas susceptible de regagner son domicile, il dormait alors sur le canapé de Bob, meuble parallélipipédique long d'un mètre quarante que l'on prolongeait d'une feuille de mousse roulée en vis ; et les lendemains matins, Bob filtrait le café dans le coin cuisine aveugle, clos par un accordéon de plastique au-dessus du bar.

Le soir ils parlaient peu, l'œil en veilleuse sur la télévision, ils feuilletaient des revues pas assez périmées, Bob mettait quelquefois des disques, plutôt de la variété désuète, Tennessee Ernie Ford ou Georges Ulmer tournaient dans la poussière. Maintenant la journée se terminait, sans doute la soirée se poursuivrait-elle paisiblement ainsi. Pense Bob. Mais non, Paul découvre son poignet : dix-neuf heures s'y approchent. Il se lève, ressuscite le manteau jeté sur un dossier.

– Qu'est-ce que tu fais ?

Paul ne répond pas, Bob est un peu inquiet. Un petit peu désappointé, un tout petit peu vexé. Il ne doit pas le manifester. Il feuillette et feuillette – sans regarder Paul qui lie sa ceinture d'un nœud plat décidé, souhaite mollement le bonsoir en allant vers la porte. On voit, par les carreaux malpropres, la nuit précipitée sur la pelouse.

Pendant que Bob compose déjà des numéros téléphoniques amis, presque amis, tenant lieu de rustines dans sa vie de relation, pendant que sa déception monte à mesure que cela ne répond pas, les gens s'étant allés coller à d'autres pneus, pendant qu'il se demande pourquoi je ne passerais pas une soirée seul chez moi, au fond, pourquoi je ne me coucherais pas tôt comme tout le monde vu que le meilleur sommeil se trouve avant minuit, pourquoi pas moi pour une fois, pendant qu'il admet ensuite la vanité d'un tel projet, reconnaît qu'il traînera dans moins d'une heure au fond d'une boîte de rustines d'appoint, pendant ce temps Paul fait démarrer son véhicule, puis traverse à nouveau la ville vers le sud. Il passe le fleuve cette fois par Austerlitz, longe Saint-Marcel vers les Gobelins. Un café-tabac de grandes dimensions dessert le carrefour, Paul y pénètre, s'installe près des vitres par lesquelles on distingue une salle de cinéma, commande une bière brune en bouteille. A quinze mètres de lui, un tout jeune homme né à Liège et caché derrière un pilier demande une blonde à la pression. Pilotant une vieille Fiat, modeste et surchauffée, aussi distante de la Mitsubishi que la Guinness peut l'être de la Stella-Artois, ce garçon vient de suivre Paul à son insu depuis la rue Jules-Verne. Il est dix-neuf heures trente.

A cinquante, Paul se leva. Traversa le carrefour vers le cinéma. Sans s'y intégrer, il inspecta la file d'attente, parente de celle de l'autre jour. Il attendit près d'elle, puis seul, tout un quart d'heure après que le noir l'eut aspirée. Personne. Posté derrière une fourgonnette, le jeune homme surveillait Paul froidement. C'était un petit jeune homme frêle et qui ne souriait jamais, un petit jeune homme qui ne rappelait personne sauf peut-être Elisha Cook Jr à ses débuts. Il s'abritait sous un manteau chiné beaucoup trop grand, et dont les manches qui eussent pu contenir huit bras comme les siens ne laissaient dépasser qu'une dizaine d'ongles rongés au sang. Il se prénommait Toon et semblait avoir peur, ou bien vouloir faire peur, il paraissait hargneux, intérieurement rageur de n'être que lui-même dans son ample vêtement, loin des mensurations qu'il aurait préférées. Quand Paul finit par s'éloigner de la salle de spectacle, regagnant le vaste bar-tabac, cet individu retraversa le carrefour lui aussi, par un autre côté, avec un temps de retard. Il attendit que Paul eût retrouvé sa place pour entrer, reprendre la sienne et se dissimuler derrière *France-Soir* largement déplié : la filature des personnes faisait à l'évidence partie de ses attributions professionnelles.

Paul, désœuvré, fit venir une autre Guinness, puis une autre encore mais pas plus. Il dut se lever trois fois, d'abord afin d'acheter des cigarettes et de descendre pisser, ensuite pour appeler Bob, enfin pour rappeler Bob et pisser à nouveau. Ce n'était chaque fois qu'une médiocre envie de pisser, et chaque fois Bob n'était pas là. Au retour de son troisième voyage, Paul rafla sur une table une édition de *France-Soir,* jumelle de celle derrière laquelle on l'observait.

Peu avant vingt-deux heures, cet organe épouillé, Paul retourna devant le cinéma, toujours suivi du nommé Toon. On reprit la position : Paul ne se joignait toujours pas aux patients de la prochaine séance, qui se constituaient en queue par sédimentation. Parut enfin, cette fois sans son chapeau, l'objet de son attente.

Elle était tout de gris vêtue, pigeon, souris, perle, fer, elle rejoignit le rang. Paul laissa quelques couples se placer derrière elle avant de s'y incorporer à son tour. Ceux de la séance précédente sortirent papillottants, ainsi que d'une grotte, on prit leur place. En queue de

queue, Toon pénétrait de mauvaise grâce dans la salle :
à ce jeune individu le cinéma paraissait un art plat, une
pratique plate, toujours il voyait sous l'action le drap
tendu qui la supporte. Un handicap, en quelque sorte,
l'effet possible d'une malformation. C'était pareil pour
la télévision, il n'y percevait que le tube. La personne
en gris avait pris place tout à fait devant, bien au milieu.
Paul s'installa vers le huitième rang, assez latéralement
pour la tenir de trois quarts dos, en même temps que
l'écran, dans son champ visuel, et Toon s'assit au fond
pour surveiller tout le monde, ainsi que le film éventuellement.

Lequel filait bientôt son allure de croisière. A sa surprise, et pour la première fois peut-être de sa jeune vie,
Toon oublia presque aussitôt l'existence de l'écran, il
oublia sa surprise même tant il s'identifiait prodigieuse-
ment au chef rebelle. Paul en revanche, trop distrait,
scrutait parfois sa montre sans distinguer l'heure, les
vagues irrégulières du technicolor annulant sa phosphorescence sans pour autant suffire à éclairer le cadran.
Puis le film s'acheva – bien, semblait-il. Passé le plan
d'ensemble ultime et le retour à la lumière, sa musique
originale se poursuivait un peu, livrant une petite prime
d'imaginaire dans la vie des gens engourdis, transit entre
la fiction pure et le réel sans appel, sonore bonus, annexe
au mensonge, dorure de la pilule du vrai.

Les trois vrais comédiens sortirent donc de la salle,
parmi la foule de réels figurants, dans l'ordre inverse de
leur entrée. Vite ressaisi de ses émotions, Toon s'était
aussitôt posté dans le hall du cinéma, surveillant Paul
qui se retournait vers la jeune dame grise, son cœur
battant retenant la porte battante sur son passage. Paul
inspira d'abord profondément, puis il la rejoignit, vint
tout près d'elle, trop près sans ambiguïté. Excusez-moi,

s'enraya sa voix. Elle tourna vers lui ses yeux surpris, d'émail bleu-gris, ornés de jaillissements d'or sur le pourtour de la pupille, comme la couronne solaire pendant l'éclipse. Une fois encore il respira :

– Vous ne vous souvenez pas de moi ?

8

– Elle a dit non. Ça ne me dit rien. C'est ce qu'elle a dit, mais je ne suis pas tout à fait sûr que. Tu es gentil, tu cesses de ricaner, tu veux ?

– Je connais ça, dit Bob en agitant les mains pour suggérer une escadrille de bêtes volantes au-dessus de lui, j'ai tellement connu ça. Ensuite ?

Ensuite Paul avait essayé de se rappeler au souvenir de Justine. Il avait évoqué le film de l'autre soir, le premier film, du soir qu'elle avait son chapeau – spécialement certaines scènes qu'à son dam elle paraissait avoir moins aimées que lui –, sans oser faire allusion au chapeau. Il avait proposé d'aller prendre quelque chose quelque part, mais elle avait argué d'amis qu'elle devait retrouver autre part. C'était un refus léger, sans hauteur, Paul ne s'était pas senti rejeté vertigineusement : elle avait bien voulu noter son numéro de téléphone sur un calepin de cuir, à fermoir de cuivre, qu'elle dut chercher longuement dans le fond de son grand sac plein d'objets. Elle accepta même de lui donner le sien, son propre numéro, quoique du bout de ses lèvres rouges et sans dévoiler son prénom, sans même songer à s'inventer un faux prénom, c'est juste qu'elle ne voulait pas dire le sien, va savoir pourquoi.

Mais une semaine s'était passée sans qu'elle appelât Paul, qu'on retrouve encore solitaire et défait au fond du même fauteuil, dans le même coin sombre du studio de Bob, les pieds posés sur une incomplète collection du magazine *Penthouse,* une main accrochée au rebord du bar où s'emplissent d'anciens contenants de moutarde et d'anchois. Certains de ces contenants sont un peu ébréchés, d'autres n'ont pas encore ôté leur étiquette, des pellicules d'alcool y poissent, durcissent, brunissent. Le bar est encastré dans la cloison, à angle droit, mais la saignée demeure inachevée : le plâtre y paraît brut, pulvérulent sans enduit protecteur. Ce n'est pas terminé, ce n'est pas net. Chez Bob, presque tout est ainsi. Le visage de Paul exprime un tiers de renoncement, deux d'amertume avec un trait de secret contentement de soi. Il regarde son verre au fond duquel, dans sa haute cour translucide, le cube de glace a repris son lent parcours de détenu à l'heure de la promenade.

– Ça n'a pas de sens, je ne sais même pas son nom. J'ai le numéro mais je n'ai pas le nom. (Paul considère maintenant l'ongle, à distance, de son pouce gauche.) Je ne peux pas l'appeler dans ces conditions. (Paul ronge l'ongle.) Ça n'a pas de sens.

– Tu ne peux pas rester comme ça, rappelle Bob. Tu ne veux pas voir quelqu'un ? (Paul hausse l'épaule en recrachant l'arc d'ongle.) On va voir quelqu'un, viens.

Foin du tarot sempiternel, fi du globe de cristal où l'être aimé danse les sept voiles tel un poisson chinois dans son bocal : Bob, dans le quartier, connaissait quelques spécialistes aux techniques rares, experts dont les pratiques se fussent éteintes sans eux. Les récents Africains par exemple, masse fraîche sur le marché mantique, disposaient d'un réseau d'hiératiques agents commerciaux, hommes de haute taille en vaste boubou clair, sous toque léopardée, distribuant des bristols aux croisements de grande circulation. Bob avait pris langue avec certains d'entre eux qui tous lui avaient parlé de monsieur Brome, marabout absolu, le plus extralucide en sa branche. Allons le voir, proposa Bob. Paul était toujours d'accord pour qu'on s'occupât de lui.

Monsieur Brome était absent, on le supposait chez son beau-frère qui n'était pas chez lui non plus. Dans la cuisine d'un voisin de palier du beau-frère, toutes portes ouvertes, quatre sujets nattés disputaient en idiome toucouleur ; Bob s'en fut aux renseignements. Paul attendit seul dans un petit living tapissé de rouge et vert, moquetté d'orange, avec un jeté de lit également vif sur le divan et un gros récepteur Téléavia sur son meuble de tubulure et de verre fumé. A l'étage inférieur du meuble, un magnétoscope de la première heure se patinait de poussière gluante – hormis sur les touches de commande où les index avaient poli d'ovales luisances, nettes comme du réglisse frais.

Paul s'assit sur le divan, fouilla dans le tas de cassettes formé au pied du meuble, lisant les étiquettes sans reconnaître aucun titre, aucun nom, sans les comprendre tous. Au hasard, il choisit une de ces cassettes qu'il enfonça dans le ventre de l'appareil : la bande à moitié dévidée fit soudain paraître une scène d'amour sous les cocotiers, beaucoup de cocotiers, énormément de cocotiers aux branchages mollement mus par un sirop de zéphyr. Bob ressortit de la cuisine, arrêtant son œil embué par la conversation sur toute cette palmeraie. On y va, dit-il, allons-y.

Dehors s'affirmait le crépuscule. Rue de l'Orillon se promenaient d'autres Africains, leurs dents arrachaient de petits bouts de nuit mâchés comme de la gomme, de la cola, un collier vert phosphorait autour du cou de l'un, le front d'un autre était biffé d'un trait de sparadrap rose, aucun d'entre eux ne savait où monsieur Brome était passé. A l'angle du passage Piver, Bob se souvint d'un ami géomancien qui exerçait là, nommé Bouc Bel-Air et rencontré chez Félix Potin. On y va ? Attends, fit Paul en arrêt devant un magasin de chaussures. J'aime bien ça, dit-il en désignant une paire exposée, j'aime bien ce genre. Toi non ?

Bob grimaça devant le modèle : son empeigne s'ornait d'une espèce de revers, d'une manière de col de part et d'autre du laçage qui avait ainsi l'allure d'un nœud texan, serré comme autour d'un cou à la base de la cheville. Ils entrèrent, la vendeuse était humble, timide en blouse lavande, aimable par résignation. Paul plongea son pied dans le soulier, qui d'abord lui parut trop grand. Puis trop petit, quoique en même temps toujours trop grand. Testée, chaque taille adjacente accentuait l'un de ces défauts sans jamais tout à fait résoudre l'autre. Il essaya, plusieurs fois, toutes les demi-pointures dans les deux sens, incertain de son inconfort, sans pouvoir faire appel à d'autres témoins que ses propres pieds, et le sentiment de la solitude à nouveau le submergeait. Il éleva l'œil vers la chausseuse : touchez mon pied, supplia-t-il, juste le bout, est-ce que ça va ? Est-ce que je suis bien dedans ? Elle ne sut, ne voulut répondre. Il renonça. On s'enfonça dans le passage Piver.

Bouc Bel-Air était un homme normal qui vivait proprement dans un petit logement. Ses vêtements n'étaient pas boutonnés de travers, quoique sa barbe et ses cheveux fussent hirsutes, presque perpendiculaires à la peau. Sur toute sa joue, parallèlement à l'arc du maxillaire, cette barbe était traversée par une longue balafre transamazonienne à plusieurs voies, marque des dents d'une petite fourche ou des griffes d'un moyen lion. Aucune table, aucune chaise en vrai bois n'étaient visibles ici, nulle pièce pesante de mobilier. L'ameublement consistait en matériel de camping assez ancien, fleurant la récupération : un lit pliant, des fauteuils en tube tendus de forte toile aux rayures ternies, aux couleurs diluées, pochées par l'usage. Le géomancien pria ses hôtes autour d'une table en isorel plastifié bleu, au pourtour tigré de souvenirs de mégots, puis il passa dans ce qui devait être l'office, où se distinguaient une glacière en tôle, un deux-feux au butane monté sur acier cadmié, un garde-manger sous du tulle de nylon. Il revint avec une bouteille ainsi que des quarts d'alu bossu ; on but. On but en silence, après quoi Bouc Bel-Air considéra Bob interrogativement.

– C'est pour lui, dit Bob en désignant Paul.

Bouc Bel-Air se tourna donc vers Paul, parut l'étudier un moment puis se pencha vers un bac de sable posé par terre près de la table, tout à fait semblable aux garde-robes qui servent à l'exonération des chats. Le principe, dit-il, est le suivant.

Il souleva le bac pesant, le posa sur la table, égalisant sa surface blonde du bout des doigts. Le principe est le suivant, dit-il encore en extrayant de sa poche un sachet de plastique fort d'où s'écoulèrent au creux de sa paume une demi-douzaine de chevrotines. Il les examina, les fit rebondir dans sa main tout en répétant que le principe était le suivant, paraissant hésiter sur la meilleure façon d'exposer ce principe. Puis il dut renoncer à ses vues didactiques, car tout à trac il fit sauter ses projectiles sur la petite plage close.

Le grand silence, tout de suite, fut dans l'appartement ; le monde extérieur même l'observait, immédiatement représenté par le passage Piver. Quelques secondes une grappe d'enfants le troubla, l'un d'eux criait distinctement que c'est comme ça, Pascal, c'est comme ça.

Bouc Bel-Air considéra les plombs ensablés, l'un après l'autre, puis l'ensemble de leur arrangement. Paul et Bob le virent amener sa main ouverte par-dessus le dispositif, la déplacer comme s'il prenait des mesures dans l'air, ouvrant divers compas avec ses doigts sur lesquels, ensuite, il parut compter. Puis il se recula d'un cran comme pour gagner de la perspective, tout en se massant longtemps l'extérieur puis l'intérieur du nez. Il se leva enfin, passa dans l'autre pièce, on l'entendit tirer de l'eau à l'évier, boire et se gargariser, se moucher entre ses doigts qu'il rinça. Qu'est-ce qu'il fout, murmura Paul.

Bob ne lui exposa pas comment l'autre venait de tirer les points, former les figures, définir l'horoscope, comment il devait à présent réfléchir activement, remonter comme à la source d'un fleuve vers l'axe de tout un éventail de déductions partielles. Tais-toi, grogna-t-il seulement, tu vas le déconcentrer. Bouc Bel-Air revenait de la cuisine, s'essuyant les mains dans un torchon bleu. C'est très clair, dit-il en reprenant place devant Paul, qui jeta sur Bob un regard à peine inquiet.

— C'est clair, répéta-t-il. Juste je vérifie.

— Vous n'êtes pas sûr ? osa Paul dans le silence maintenu.

— Je suis sûr, dit l'autre, je suis sûr. Juste que ma confiance n'exclut pas le contrôle.

D'une main sûre il chercha sous sa chaise une épaisse brochure congestionnée de chiffres minuscules, tassés sur mauvais papier entre des marges étroites, et qui devaient constituer une sorte de calendrier stellaire. Il le feuilleta par à-coups, se référant par coups d'œil aux écarts entre les chevrotines, puis le referma quoique hésitant à s'en défaire, et tout compte fait le glissa entre son siège et son séant, comme son corps se penchait plus avant vers le tableau géomantique :

— C'est tout à fait clair, tout ira par deux, toujours plus ou moins par deux. Voilà ce qui va se passer. Vous allez rencontrer un homme actif, cheveux blonds grisonnants, portant lunettes. Lunettes, Mars dans le Bélier, n'est-ce pas. Il devrait vous, attendez un instant.

Déjà plus détaché, Bouc Bel-Air régla l'angle du pouce et de l'index par-dessus deux plombs, par-dessus deux autres, comparant les écarts en levant ses doigts à hauteur d'œil mi-clos, laborantin devant l'éprouvette, hochant un crâne professionnel.

— Solliciter pour un placement, compléta-t-il, quelque chose comme un investissement, affaire d'outillage semblerait-il. Machines-outils. Naturellement, à ce degré de précision il peut toujours y.

Mimique évasive, genre garagiste ou chirurgien. Mais quand même en cinquième maison, Vénus conjointe, en principe ça ne faisait pas un pli. Quant à déterminer quand se produirait cette rencontre, on ne le pouvait pas. La question, d'ailleurs, n'était pas là.

— Où est la question, Bouc ? voulut savoir Bob.

— La question n'est pas dans les faits, dit le géomancien, mais dans leurs conséquences.

— Alors, demanda Paul, qu'est-ce que je devrais faire ?

— M'est avis que cet homme, exprima Bouc après une réflexion, vous ne devriez pas accepter son offre (je vous dis ça, vous faites comme vous voulez), il me semble qu'il vaut mieux refuser. Je ne pourrais pas dire pourquoi, par exemple.

— Rien d'autre ?

— Un homme encore, estima Bouc Bel-Air. Je le verrais plus proche de vous, plus vieux que l'autre, plus maigre aussi (je vous ai dit qu'il serait maigre, l'autre ?), outillage également.

— D'accord, dit Paul, donc je refuse.

— Non, fit Bouc, cette fois vous marchez. C'est ce que

je préconise, naturellement c'est à vous de voir. Avis tout personnel.

Il traça dans l'air un geste plus expéditivement arrondi que les autres, comme s'il y signait une décharge. L'amour, dit Paul, l'amour maintenant. Bouc Bel-Air observa ses genoux. Bon, dit Paul, vous acceptez les chèques ?

9

Charles avait passé la nuit suivante au musée Jacque-
mart-André, qui surplombe un tronçon presque paisible
du boulevard Haussmann. C'était un de ses refuges
favoris, un séjour sûr quoique pas si bien chauffé, moins
confortable qu'on pourrait croire : la literie y consistait
en un long canapé bombé, très dur et tendu de satinette
parme, hautement dérapant tel un saucisson de savon.
S'accrochant à l'accoudoir, coinçant ses pieds sous
l'autre accoudoir, Charles calait contre le dossier son
corps massif mais lâchait prise dès que celui-ci s'engour-
dissait, dès le prégénérique de ses rêveries répétitives.
Alors il tombait, puis remontait sur sa couche en s'y
agrippant mieux, jusqu'aux premières images hypnago-
giques qui le rejetaient au bas du meuble. Répugnant à
s'y ficeler, Charles ne connaissait donc que des débuts
de sommeil, des incipit de rêves dont il ne regrettait
jamais l'inachèvement.

Il se levait toujours tôt. Vers quatre heures du matin,
abandonnant sa lutte contre le canapé, il s'animait dans
son indifférence. Il soufflait en se mettant assis, touchait
son front moite, enfilait ses chaussures à tâtons, les
renouait d'instinct dans le noir puis se dressait, trouvait
dans sa poche le Zippo qui découvrit une aire d'un
mètre de rayon. Quelques minutes il parcourut le réseau
de grandes salles obscures, son briquet serré dans sa
main au-dessus de lui. Des tableaux défilaient, des por-

traits tout de suite happés par l'ombre et qu'il ne regardait pas, sauf un instant *Le début du modèle*. Outre ces peintures, les galeries abondaient en toute sorte d'objets d'art sous leurs fragiles vitrines, des objets de toute taille et spécialement des petits que Charles aurait pu prendre, vendre et s'assurer ainsi des jours meilleurs, mais l'idée ne lui en était pas venue, ou ne s'était pas maintenue.

Circulant ainsi parmi les œuvres, la lueur noire et jaune du pétrole tremblant au bout de son bras levé, Charles devenait lui-même un bon sujet, un motif artistique tout à fait possible. Il s'engagea dans le cul-de-sac d'une galerie au bout de laquelle une tenture pesante, accablée d'héraldique, dissimulait une porte en fer. D'une autre de ses poches il retira deux clefs, mariées par un bout d'élastique sec, friable autant qu'une tige sèche. L'une des clefs se trouvait trop plate et de trop petit format, l'autre étant un passe rudimentaire qui se plaignait quant à lui de n'ouvrir que deux serrures sur cinq d'une certaine sorte, parmi quoi celle de cette porte en fer. La porte donnait sur un gazon qui étouffe les pas, ensuite une allée de gravier contourne le musée jusqu'au portail. Charles escalada le portail.

Sous les premières menaces du jour, le boulevard Haussmann se tenait tranquille et propre, déjà passaient les éboueurs chargés de parachever le tableau, de préparer la piste. Autour du véhicule vert progressant par segments, une équipe gantée de peau dansait en projetant avec souplesse les scories dans le broyeur. Charles ne leur donna pas un regard. Malgré sa profession, son état négatif d'une profession, il ne s'intéressait pas spontanément aux déchets ; il suivait le boulevard vers la rue de Miromesnil, ses mains enfoncées dans ses poches. Outre le Zippo, les clefs, celles-ci recelaient deux mètres de chanvre tordus en huit, deux mètres de tickets de métro en

rouleau, cinq dés à jouer, un couteau suisse à trois fonctions très affutées, onze francs trente en petite monnaie,
trois cachets d'aspirine dans un étui de métal. Dans la
poche intérieure zippée de sa parka, Charles possédait
aussi une enveloppe de skaï lézardé contenant cent francs
pliés dans un papier d'identité. Ce même billet de cent
francs depuis quatre ans, Charles n'y touchait jamais, il
était une sorte de police d'assurance plutôt que du véritable argent. Et sur la carte d'identité, à gauche de son
sourire absent, était écrit Pontiac Charles, Frédéric,
Marie, né à Verdun cinquante-six ans plus tôt, un mètre
soixante-quatorze, signes particuliers verres correcteurs.
Mais nulle trace de lunettes, luxe inutile, dans les affaires
de Charles.

Il ne compta pas six ou sept heures sonnant d'un
clocher proche, de plus en plus nettement détaché sur
ciel pâle où des prémices rosâtres s'étiraient ; d'autres
que lui se fussent réjouis de cette belle perspective. Passés les éboueurs il n'y avait plus grand-chose, plus grand
monde sur le boulevard. Puis cela s'animait un peu vers
la station Villiers.

Charles prit l'une des premières rames pour travail-
leurs, du nord-est où l'on dort au nord-ouest où l'on
œuvre, dans l'air strié de dentifrice et de café-tabac,
d'encre et de nouvelles fraîches, de draps et de sueur,
de savon, d'after-shaves cousins du calva. Sur les yeux
rouges clignaient, tombaient parfois de lourdes paupières. Par-dessus les épaules résignées, Charles déchiffra
de gros titres sans en établir la portée ; sa lecture était
mécanique, ne se connectait qu'à peine à sa conscience.
Il descendit au terminus, Pont de Levallois. Les toits
découpaient nettement le jour à présent, le soleil faisait
battre des moires sur leur zinc.

Dans Levallois, Charles rejoignit une rue nommée

Madame-de-Sanzillon tout au long de quoi les constructions rapetissaient en noircissant, se dégradaient au point de s'effondrer parfois, ceintes de franges de terre où proliféraient de mauvaises herbes géantes, affolées par leur propre croissance, génétiquement inhabituées à ce laisser-aller. Tout étriqués au bout de la rue à droite, deux étages se tenaient l'un sur l'autre, chacun sa fenêtre barrée d'une planche pourrie, l'absence de porte donnant sur une intimité de gravats gris, de cendres grises. Par les crevés du toit, le jour diffractait net le gris. Un barbelé sénile courait devant la maison, conclu par un portail où tenait avec du fil de fer une boîte aux lettres en métal blanc portant deux patronymes (Vidal, Pontiac) peints en foncé.

Charles aurait pu vivre là, s'y installer à demeure, mais il n'y avait dormi que deux fois. Après s'être assuré que l'endroit était à l'abandon, il avait inscrit ces noms sur cette boîte – récupérée avec sa petite clef sur la clôture d'une autre maison inhabitée, mais dans une rue bien trop passante pour faire l'affaire. Avec le passe, cette petite clef formait trousseau.

Il se rendait deux fois par mois rue Madame-de-Sanzillon, ouvrait la boîte, rien ne se trouvait jamais dedans que des prospectus tassés par une main hâtive et mal rémunérée. Assez accumulés durant deux semaines pour obstruer le récipient, les derniers tracts refluaient par la fente en bouchonnant comme d'une latrine engorgée. Charles les défroissait, les parcourait, les refroissait puis les projetait dans l'eau du caniveau, au fil de quoi les petits chiffons compacts se dandinaient en hésitant vers la première bouche d'égout. Rien ne concernait Charles de ces offres de services, suggestions d'abonnements, miroitements d'objets au rabais, cycliques exhortations civiques qui formaient l'ordinaire, mais il n'en éprouvait aucune contrariété. Levallois tous les quinze jours, c'était une prise d'air, un petit changement d'idées, voir le contenu de la boîte était la seule scansion sociale d'une vie d'errance.

Il était encore tôt dans ce quartier excentré, il n'y avait là personne qu'un vieux chien cafardeux fourgonnant dans un sac déchiré, posant des regards discrets sur Charles comme pour lui suggérer de fourgonner avec lui. Charles déverrouilla la boîte dilatée par les coupons-réponses, elle s'ouvrit en grinçant de soulagement. Comme sommairement il ordonnait cette liasse promotionnelle, il distingua l'angle atypique d'une enveloppe – authentique enveloppe à usage privé, sûrement scellée à l'aide de véritable salive humaine, affranchie d'un timbre réel collé un peu de travers par surcroît de réalisme et oblitéré à Chantilly (sa Forêt, son Château, ses Courses). La suscription même était manuscrite : une écriture de dame, de dame un peu mûre, de dame mûre bien élevée, élégante, nerveuse comme un tracé encéphalographique. Cette vraie lettre, c'était inhabituel. Il n'était pas mention d'expéditeur, d'expéditrice au dos de l'enveloppe, le cachet faisait foi de ce qu'on l'avait postée six jours plus tôt.

C'était inhabituel, pourtant le cœur de Charles ne battit pas plus vite. Nulle émotion ne colorait son visage et ses mains ne tremblaient pas, ses doigts ne firent pas des nœuds en se bousculant pour déchirer l'enveloppe. Il regarda juste un moment devant lui, précisément rien, puis dans la direction du ciel, puis dans la direction du chien ; sans doute son esprit était-il en mouvement. Le chien dut bien sentir qu'il se passait quelque chose d'anormal car ses regards se nuancèrent de prudence, de tact, il feignit même d'oublier l'homme pour s'occuper exclusivement du sac. Charles glissa la lettre dans une poche intérieure, puis referma la boîte qu'il tapota ensuite d'une main absente comme on eût plutôt fait avec le chien, comme pour s'assurer distraitement de la présence de ce vieux chien, consoler ce bon vieux chien d'être encore une fois tombé dans le même trou.

Vérifiant à plusieurs reprises la présence de l'enveloppe dans sa poche, Charles regagna le métro, changea à Opéra, se retrouva gare du Nord. Il cassa, là, sans hésiter, son billet de cent francs contre un aller-retour Chantilly, en demandant à bénéficier du système train + vélo. Il n'avait plus emprunté le train depuis si longtemps qu'il eut envie d'en jouir le mieux possible. Tout le trajet, il demeura debout près de la portière du wagon, sa main fermée sur une barre verticale, son regard allant de l'extérieur (pavillons, fabriques, zone ; cimetière jouxtant l'usine de charcuterie ; résidences, terrains de sport en friche où s'affrontaient des rouges, des bleus dépareillés) à l'intérieur (peu de monde dans ce sens à cette heure-ci). Mais ces regards ne suffirent pas à lui fournir une vue d'ensemble effective, une perception totale du chemin de fer, toujours quelque chose manquait, s'échappait d'une fissure insituable. Il ouvrit la lettre, alors seulement ; il la lut.

En gare de Chantilly, il troqua son bulletin contre un semi-course Batavus, léger engin tilleul sans sacoches, doté d'un gros changement de vitesse qui l'inquiéta. Il s'éloigna des bâtiments en poussant le vélo, attendit d'être assez seul pour l'enfourcher. Après quelques sinusoïdes il prit le contrôle de la machine, très vite il pédalait sans problème : la science du vélo, l'inexpugnable équilibre à vélo devaient s'être inscrits dans un secteur très archaïque de son cerveau, sorte de chambre forte étanche. Charles roulait, n'ayant jamais froid, tenant bien sa droite quoique seul dans les chemins forestiers.

L'air chargé d'odeur d'arbre se divisait de part et d'autre de lui, bain bouillonnant sans cesse renouvelé, charriant et ravivant les souvenirs d'enfance. Epars le long de l'allée, de ténus branchages noirs se brisaient sous les pneumatiques, claquaient avec une sèche douceur comme des clavicules de petits animaux.

Il pédala durant deux kilomètres en direction de Senlis, longeant un cynodrome, mit pied à terre lorsqu'il dut traverser une route nationale. Après deux autres kilomètres il franchit un pont surplombant l'autoroute, et après le carrefour des Espionnes il y avait un étang. Charles contourna l'étang, suivit un tronçon départemental où cela circulait peu avant de prendre à droite dans une nouvelle allée.

Surmontés d'anges blancs, les piliers d'un portail marquaient l'entrée de la voie qui accédait à une demeure privée. Sans ces deux anges, des miniatures de ceux du pont Saint-Ange équipés d'accessoires (la tunique, les verges) de la crucifixion, rien n'eût distingué cette entrée d'un million d'autres entrées ; on n'avait pas omis, dans la lettre, de préciser ce point de repère. Et la demeure était une grande bâtisse à colombages anglo-normands brun-pourpre sur lit de gravier désherbé, ratissé, rayé comme une purée sous la fourchette par de nombreux trains de roues – quoiqu'il n'y eût là qu'une Ford, une grosse Ford bleue banale comme on en voit plein.

Charles chercha quelque appui pour sa machine mais le premier gros arbre était trop loin, et trop blanc le mur de la maison. Il voulut l'allonger sur les graviers, tâchant de la disposer avec délicatesse, avec bonheur, mais toujours une roue saillissait laidement, le guidon coincé se pointait en souffrant vers le ciel. Verticalement sereine, luisante d'équilibre, la bicyclette couchée ne savait se tenir qu'en position bizarre, disharmonieuse comme un cadavre fracturé. Charles sonna à la porte.

Ce serait un frais sexagénaire avec un accent russe ainsi qu'une petite barbe pointue bien entretenue, bien droite dans l'axe d'une étroite cravate ivoire, qui mit tout ce temps à venir ouvrir. Il frottait ses mains sèches l'une contre l'autre. Charles, modula-t-il, roulant hospitalièrement l'*r* médian. Boris, dit Charles. Tout se passe comme tu veux ?

– C'est le confort, dit Boris. Les légumes frais, les radiateurs, ça change. L'hygiène. Le grand air me manque, mais je ne pouvais plus. Vidal va bien ?

– Toujours pareil, répondit Charles. Il te passe le bonjour.

– Eh non, je ne pouvais plus, grimaça l'autre en désignant ses jambes. L'artérite.

Il semblait en effet ne pas bien tenir sur elles. Après un signe d'invite il claudiqua vers le fond du hall carrelé de noir et blanc, à la surface duquel sa démarche oscillante évoquait une pièce d'échec insane, roi fou, reine ivre ou cheval emballé. Charles suivait droit comme une tour, par angles droits. Et comment ça se passe avec Nicole ?

– Rien à dire, reconnut Boris en lui ouvrant la porte d'un petit salon vert bronze. Un peu proche de ses sous, mais on ne peut pas se plaindre, et puis elles sont gentilles. Elle ne va pas tarder. La demoiselle est en haut, il y a un type avec, je vais dire que tu es là. Entre. Tu la connais, la demoiselle ?

– Non, dit Charles.

Le salon était meublé de copies d'ancien, avec un peu de réel ancien. Des factures sur un secrétaire attestaient qu'on y réglait des comptes. Charles essaya rapidement les fauteuils, préféra rester debout près de la cheminée, regarda les objets posés sur la tablette : deux roses de cristal, deux cervidés en verre filé, trois roses réelles dans un rython de cristal. Boris reparut :

– Je te remercierai toujours, confia-t-il. Je me sens quand même bien, ici. Sans toi, cette artérite, je ne sais pas où j'en serais.

Dans l'escalier, Boris utilisait toute la longueur des marches, se projetant d'une rampe à l'autre. À l'étage il fit rouler ses phalanges contre une porte close, entra sans attendre une réponse. Charles entra derrière lui : un homme de son âge, une femme de la moitié de son âge. Charles identifia la jeune femme sans l'avoir jamais vue, s'aidant du souvenir de sa mère. Il reconnut l'homme aussi, Gazol, un type de la bande du Perfect qui avait aussi beaucoup aimé Nicole Fischer trente ans auparavant. Gazol avait toujours son large buste, auquel un abdomen donnait maintenant une troisième dimension. Un parfum d'herbes aromatiques émanait de lui, variété d'eau de toilette à la pizza. Charles Pontiac le salua d'un regard bref puis se tourna vers la jeune femme devant la fenêtre, derrière laquelle un saule pleurait.

– Je suis venu tout de suite, remarqua-t-il.

– Je vous connais, sourit Justine, on m'a parlé de vous.

Charles baissa la tête sans sourire en retour – il ne pouvait pas. Du dehors vint un bruit de moteur : ronronnement luxueux, couples de pneus sculptant voluptueusement le gravier, non sans une arrogante lenteur qui laissait supposer un placage d'acajou sur le tableau de bord, peut-être même un bar minuscule à l'arrière.

– Voilà maman, sourit Justine.

10

Trente kilomètres au sud, Paul se tient toujours seul dans son appartement trop clair. Il passe d'une pièce à l'autre, trouve ces pièces inutilement blanches et nombreuses, il ne voit rien. Ces tableaux sur les murs ne lui sont rien. Souvent ils représentent des choses : un véhicule Caterpillar en pleine action ; un éléphant distancié, sorti de son biotope. Il y a quand même une petite gouache abstraite (1959) de Gaston Chaissac. Depuis le départ d'Elizabeth, parfois aussi ces tableaux ne sont plus là, à leur place des carrés et rectangles pâles hébergent un piton célibataire, un couple de clous obliques chevauchés par un fil de poussière. Des plantes vertes au pied des fenêtres luttent dans leurs bacs contre l'oubli, contre l'idée de la mort. Au-delà de ces fenêtres, l'air lourd est endimanché. Le temps s'étire, le vide menace. Un transistor grésille au secours dans la cuisine mais le silence ne se détache que mieux, se visse d'un cran supplémentaire, pilonne ses intimidations.

Couché très tard, Paul s'était levé tard, d'abord sans aucun souvenir de la veille qu'il put reconstituer par bribes, s'aidant de traces recueillies sur ses vêtements, dans ses vêtements. Des molécules d'Heure bleue près du col de sa veste, un numéro de vestiaire dans la poche gauche en compagnie d'un ticket d'entrée, dans la poche droite une forte contravention – des indices. Sur la table basse du living, un mot d'un graphisme inconnu lui signalait l'emplacement de sa voiture. Elle était en effet visible au pied de la tour, correctement garée entre deux plots. Sans doute avait-on ramené, dévêtu, couché puis laissé Paul seul dans son lit, mais il ne sut identifier les responsables de cette initiative : sous l'aigreur ambiante de l'alcool viré, des dépouilles de neurones grillés barraient l'accès à sa mémoire. L'Heure bleue pouvant désigner Claire, Paul essaya d'appeler Claire mais une première fois c'était occupé, et ensuite il n'y avait plus personne.

Ensuite Paul préparait du café dans la cuisine blanche, debout devant le rang d'émail et de nickel électroménager, javellisé le jeudi par Teresa Perez ; il ne s'y faisait jamais que du café. Le liquide sombre en équilibre au bout de son anse, il passa dans la chambre : trop grande. Le lit défait trop grand. L'inutile bureau à cylindre.

Une photographie posée sur le bureau représentait Elizabeth souriante, Paul moins, posant ensemble devant des fleurs noires et blanches. Quelqu'un l'avait découpée pour séparer les personnages, puis reconstituée au ruban adhésif sans excès de minutie de sorte que le couple ne se trouvait plus tellement à la même hauteur. Paul se tourna vers la fenêtre. De l'autre côté du vide, penché à une fenêtre de la tour voisine, un homme âgé aérait son chien serré contre sa poitrine, leurs yeux plongeaient dans la même direction. Sonnerie du téléphone.

Van Os.

– Je ne vous dérange pas ? Vous avez quelque chose pour moi ?

Il était beaucoup trop timide à ses débuts, Van Os, on ne le prenait pas du tout au sérieux. Par Tomaso, Bob et Paul lui avaient procuré un Tokagypt en assez bon état, ce qui n'est pas si mal. Mais ils n'avaient fourni l'objet qu'en manière d'encouragement farceur, consolation anticipée de la vanité de son entreprise, comme un cartable en box-calf cher pour un jeune demeuré, pour la plus laide de la plage un vison.

— Toujours rien, dit Paul d'une voix plate, je vous ai dit. Il n'y aura plus rien.

Or on le vit faire son chemin, s'acheter une voiture, puis deux, engager du monde, chasser la timidité. Ses premiers succès le rendaient un peu plus frontal, et ses lieutenants eux-mêmes avaient tendance à se montrer familiers. C'était contrariant.

— C'est contrariant, dit-il, il faut qu'on se voie de toute façon, je veux qu'on dîne ensemble. Mercredi, ça vous dit ?

— Difficile en ce moment, se gratta Paul. Compliqué.

— Des ennuis ? Il faut me prévenir en cas d'ennui, si je peux me rendre utile. Je peux rendre plein de services, vous n'imaginez pas.

— Vous êtes gentil.

— Oui, reconnut Van Os, je suis gentil. Je ne vous en veux plus, vous savez, pour les Italiens. Voyons-nous mercredi, vous m'exposerez vos problèmes, on verra ce qu'on peut faire.

— Vraiment non, expira Paul, c'est spécial. C'est personnel.

— Je comprends, fit Van Os gravement, toujours l'histoire avec votre femme. Mais vous allez voir qu'on se remet, vous verrez.

La photo se mit à trembler dans la main de Paul, qui s'aperçut alors seulement qu'il ne l'avait pas lâchée. Il la posa non sans brutalité sur le bureau, la retournant avec un effort comme si elle lui collait aux doigts.

— Vous vous remettez déjà, d'ailleurs, poursuivait

l'autre d'une voix douce, je sens que vous remontez le courant. Vous rencontrez du monde, c'est bien. La jeune dame, l'autre soir, très jolie à ce qu'on dit.

– Qu'est-ce que vous dites, qu'est-ce qu'on.

Van Os éluda, s'excusait à présent du petit dérangement. Tant pis pour mercredi, déplora-t-il, ce sera pour une autre fois. Il rappellerait demain, après-demain, savoir comment ça va. Pensez à moi, pria-t-il avant de raccrocher.

Un instant. Le fond de cafetière est tiède sur l'évier, Paul trouve un long flacon de pale-ale dans le réfrigérateur. Trop glacé, trop mousseux, mais Paul boit d'un coup la moitié d'un verre, dont il dégoutte un peu dans sa barbe de la veille. Il éteint le transistor, revient dans la chambre, pose son verre près de la photo retournée, non loin du téléphone qui vient de tenir son premier rôle de la journée. A cette altitude il n'est plus aucun bruit, on est enfermé dans le silence comme dans un rhume. Paul considère le téléphone et vice versa : l'appareil domestique s'impatiente de japper, d'aboyer à nouveau ; posé sur son séant, la langue un peu sortie, il implore Paul de tous ses chiffres en tirant sur son fil.

Appeler qui ? Paul épluche son carnet. Des noms suivis de chiffres s'y empilent comme au flanc d'un monument aux morts, champ d'honneur infertile hérissé de proches perdus, d'amis d'un soir, d'anciennes amies qui se méprendraient. Reste ce numéro de la jeune femme en gris de l'autre soir, courage. On décroche au loin.

– Je veux parler à une personne, s'aventure Paul, mais je ne connais pas son nom.

– C'est contrariant, estime Laure à son tour.

– Mais je connais sa voix. Ce n'est pas votre voix.

– Oui, dit aimablement Laure, je ne pense pas que ce soit moi. Elle n'est pas là.

Qui d'autre ? Reste l'éternel Bob, ultime recours, désespoir de cause et dépit du bon sens. Le combiné ravi se chauffe à son haleine lorsque Paul appelle Bob, laisse longtemps – six fois, dix fois, seize fois – sonner. Puis il raccroche délicatement. Se lève, va jeter la bouteille dans le vide-ordures, écoute son grelot décroître le long d'un puits de trente étages. Consulte la pendule, extrait une autre Martin's du réfrigérateur. Ne l'ouvre pas maintenant, la pose sur la table basse en compagnie d'un cendrier, d'un roman de Day Keene et de la commande du téléviseur. Tombe dans le fauteuil rouge, presse la télécommande : du sport, des hommes qui lancent, courent, sautent, retombent. Puis tout repasse au ralenti.

11

A la même heure, on n'avait pas quitté la table à Chantilly, Nicole Fischer saupoudrait son café de sucre à basses calories. Nicole Fischer serrait contre elle un pékinois boudeur nommé Bébé d'Amour, lequel bavait lentement tout en projetant sur l'assistance des regards caporaux. Nicole Fischer portait un tailleur carrelé de gris-blanc strié de filets bordeaux, et des chaussures en petit lézard. Nicole Fischer, maintenant, était une femme pâle aux yeux clairs, aux doigts translucides, aux traits nostalgiques, apparence dont le maintien requérait une folle obstination, une énergie démesurée, un soin semblable à celui qu'elle prenait à réunir et faire bouffer tous les matins ses cheveux platine en un bloc ovoïde élevé sur le sommet de son crâne fin, légèrement vers l'arrière, tel un ballon de rugby calé de guingois dans le terrain lourd avant la transformation de l'essai.

Charles, assis près de Nicole, secouait doucement sa tête lorsqu'elle se tournait vers lui. En face d'eux, Gazol examinait son assiette vidée. Justine au bout de la table regardait Charles avec intérêt calme, douce curiosité. Bébé d'Amour enfin, blotti dans l'angora, levait toujours un œil fourbe sur le monde ; sa bave dégoulinait en abondance le long de ses poils mais stoppait juste à leur extrémité, sans jamais souiller le vêtement de la dame, on avait dû le dresser.

– C'est à propos de Jean-François, avait annoncé Nicole. C'est pour lui que je vous ai demandé de venir.

Où est-il, que fait-il, qu'arrive-t-il à Jean-François, se fussent écriés des amis fidèles. Nul ne s'était écrié. Gazol avait tordu sa bouche et pris son nez entre deux doigts, Charles baissa les yeux. Vous vous souvenez quand même de Jeff, dit Nicole en faisant vibrer la mémoire dans sa voix (qu'ils avaient donc aimé cette voix, naguère), il m'a écrit. Quel genre d'ennuis ? fit abruptement Gazol. Un rire s'éleva d'elle, à peine altéré – ce rire en dièse aussi, ils avaient tant aimé.

– Pas du tout, dit Nicole, aucun ennui. Juste un peu d'aide, ça n'a pas l'air bien grave, il a pensé à nous. Il pense à nous, c'est tout.

– J'ai eu des histoires moi aussi, se rappela Gazol au bout d'un moment, mais je n'ai pas fait d'histoires. Je me suis débrouillé seul. On est seul, Nicole, on s'arrange seul, comprenez-vous. Moi aussi, j'ai eu des ennuis.

Charles n'évoqua pas les siens, évidemment visibles. Se portant ailleurs, ses yeux croisèrent ceux de Justine.

– Vous m'auriez aidé, quand ça n'allait pas ? poursuivait Gazol. D'ailleurs j'en ai toujours, moi, des ennuis, alors vous allez m'aider ? Qu'est-ce que vous allez faire pour moi ?

– Bien sûr, Vincent, prétendit Nicole, il fallait le dire. Il suffit de parler.

– Vous ne pouvez rien pour moi, fit Gazol en baissant la tête et creusant le thorax.

L'échange se poursuivit un peu, dégénérant, progressivement dépouillé d'arguments, bientôt réduit à un antagonisme brut. Charles n'écoutait plus, étudiant les reliefs d'aliments sur la table. Un bruit de chaise l'extirpa de sa distraction, Gazol venait de se lever, brisant là : navré, Nicole, désolé mais non, c'est non. Charles par instinct se dressait aussi, tout le monde parut gêné, il y eut un silence et personne ne bougeait, les femmes assises et les hommes debout, comme dans les tableaux de Fantin-Latour. Puis Gazol s'en fut, Charles se rassit. Alors tu restes ? fit Nicole, tu es d'accord ? Sans répondre il tira vers lui une soucoupe regarnie de charlotte. Peu après, Justine lui montrait sa chambre.

Elle donnait sur des buissons, des arbres avec des oiseaux dessus qui piaillaient dans l'aigreur. Le papier peint rose-crème figurait des marquises sous ombrelle et sur escarpolette, des ifs et des puits, des lévriers abrutis. Deux tableaux : un aïeul, un paysage plat. Un Heraklès de bronze luttait sur la commode avec un lion de Némée. Justine sortit en fermant la porte après elle, et Charles s'assit sur le lit. Cela manquait un peu de lumière, quand même, c'était encore au nord. Justine revint avec des vêtements de rechange et des serviettes de bain qu'elle répartit dans les tiroirs de la commode. Vous ne voulez rien d'autre, vous n'avez besoin de rien ? Une radio, quelque chose à lire. Un journal.

– Non, dit Charles.

Il s'était relevé, ne sachant que faire de lui, les bouts de ses doigts lui paraissaient inoccupés. Il alluma une lampe, ça n'éclairait guère mieux, il l'éteignit. Bébé d'Amour passa derrière la porte en rageant faiblement.

– Je vous remercie, dit Charles.

Justine se tourna vers lui en souriant rapidement. C'est au fond du couloir, dit-elle en montrant les serviettes.

– C'est bien, dit Charles, mais le vélo ? Comment on fait pour le vélo ?

12

A la même heure locale, c'était tous les jours la même chose : Jean-François Pons déjeunait sur le tard d'un bol de nouilles saisies dans une sauce rouge, arrosées d'une Tiger tiède. Il était seul devant sa table, serré chez lui pendant les grandes chaleurs d'après midi. Ces nouilles livides, ces poissons morts qui surnageaient au fil d'une boue toxique, le duc les mangeait sans les regarder. Il parcourait ses revues cornées, tournant chaque page après s'être essuyé les doigts sur son bleu.

Tous les matins c'était pareil, le duc Pons se levait avant le jour pour superviser la saignée des hévéas, chaque jour incisés un peu plus profond pour faire jaillir un maximum de sève selon la théorie de la réponse à la blessure, élaborée par Parkin à Colombo en 1900. Cette pratique exige un soin extrême, et Pons n'avait pas trop de l'escadron tatillon des contremaîtres chinois dévoués à Kok Keok Choo pour surveiller le prélèvement d'un demi-millimètre d'écorce sur chaque tronc, sous le soleil et le ciel toujours plus vifs, toujours plus lourds. La matinée se passait donc à raviver les blessures des arbustes, puis chacun se retirait sous l'abri qui lui était alloué : les ouvriers agricoles retrouvaient leurs communs, sur l'état desquels les frères Aw n'étaient jamais en retard d'une indignation, et les Chinois réintégraient leurs locaux à peine plus spacieux, mieux aérés, moins envahis par les insectes et les bacilles infiniment variés.

Le couple Jouvin restait généralement cloîtré dans sa villa, hormis les rares apparitions mutiques de Raymond sur le terrain, notant au creux d'un bloc des choses que l'on ne devinait pas, ou celles bien plus divertissantes de Luce trop ivre et fardée, qui zigzaguait parmi les arbustes en gesticulant des airs de Line Renaud, gloussait d'intimes invites à la grande joie du personnel jusqu'à la prompte intervention de Raymond, courant en chaussettes depuis la villa puis ramenant fermement, hors d'haleine, la pauvre grosse créature chancelante dans sa robe à fleurs mal jointive, sur ses talons décloués.

L'après-midi, la fournaise apaisée, on retournait aux champs pour récolter le latex sué dans les tasses fixées aux troncs. Pons devait surveiller ensuite le transport à l'usine de la matière première puis les étapes de son traitement, sans parler du réglage des machines, de l'arbitrage des conflits, des rapports quelquefois tendus avec les coopératives de petits planteurs.

Quinze heures, dehors c'est une grande lumière sèche. Le duc Pons gratte son cuir chevelu d'un doigt moite en feuilletant une brochure importée d'Europe du Nord – on frappe à la porte. Pons ferme sa revue, adresse une grimace à l'horloge murale offerte par les contremaîtres il y a cinq ans : un panda y bat la mesure une seconde sur deux. On frappe encore – contre la porte est punaisée une vieille première page de *France-Soir* toute jaune, toute occupée par la photographie d'une manifestation, pendant la guerre froide, à Paris : jeune, déjà très osseux dans un coin, on y aperçoit le futur duc. Pons crie d'entrer.

L'aîné des Aw parut furtivement. Plus intellectuel, moins charismatique que son frère, il tenait à celui-ci lieu d'ombre scrupuleuse, d'éminence terne.

– C'est toi, Sam, soupira Pons. Assieds-toi, je vais te prendre une bière.

Pendant que l'autre posait son corps gauche sur un tabouret, le duc s'en fut extraire deux Tiger de la glacière.

– On n'aura pas le temps, dit Aw Sam doucement, il faut qu'on voie mon frère. Il veut vous parler.

Pons grimaça derechef, replongea l'une des boîtes parmi les pains de glace malpropre, ouvrit l'autre et but longuement avant de se retourner vers le Malais, désignant la fenêtre comme s'il tonnait – non mais tu as vu ce qui tombe ? Les insectes en effet couraient se mettre à l'abri sous cette touffeur drue, tambourinaient contre les mailles des moustiquaires. Le duc but encore, ensuite il hoqueta. Bon, dit-il enfin, je prends mon chapeau.

Trois cents mètres plus loin, au-delà du quadrillement d'hévéas, la forêt à étages gonflait monstrueusement, déployant une surenchère d'espèces. Le duc suivit d'abord l'aîné des Aw entre deux lignes d'arbustes, dans un ocre couloir de sable et d'argile fendillée, vers l'espace absolument vert. Tout était vert sous ces climats propices, d'abord d'un vert nuancé, multiple, exploité sous toutes ses coutures, déployé jusqu'à l'empiètement sur ses couleurs parentes, son oncle brun, ses cousins jaune et bleu ; ensuite, une fois sous le couvert des arbres, la gamme se resserrait ferrugineusement autour du wagon.

Aw Sam ouvrit le chemin, écartant les branches des halliers, les retenant parfois devant le duc pour éviter l'effet de fouet. Presque tout de suite on était dans le giron de la forêt archaïque, tout à fait primitive, vierge de défrichements et de brûlis, intouchée par les chercheurs d'étain. Jean-François Pons ne s'y aventurait plus qu'exceptionnellement, au rare gré de la retrouvaille d'un porc perdu, d'une épouse de journalier. Mais ce genre d'expédition l'enfiévrait moins que dans les premiers temps, il avait perdu l'habitude, maintenant il rechignait assez de s'y trouver contraint.

– Mais qu'est-ce qu'on fait, Sam, protesta-t-il une fois, où est-ce qu'on va comme ça ?

Et l'autre idiot qui n'arrête pas d'écarter les fougères sans se soucier des boues, de ces grandes flaques boueuses presque ininterrompues, on va marcher longtemps comme ça ? Une inquiétude saisit Pons lorsqu'il se rappela n'avoir aux pieds que des sandales ordinaires, en plastique translucide, du genre qui équipe les pacifiques chasseurs d'arapèdes occidentaux.

– Arrête, petit, cria-t-il d'une voix blanche. Les sangsues. Arrête, les sangsues.

Chacun sait que les sangsues se répartissent de manière uniforme à la surface du globe, se développent sous tout climat, sur tout support, par exemple il y en avait une fixée sur le pied droit de Pons qui protesta nerveusement, hautement, cherchant vite une cigarette au fond de ses poches. Il l'alluma, tira deux bouffées rapides puis l'enfonça dans le corps mou du ver vampire. Lequel se mit à se tordre avec lenteur avant de se détacher, et le duc tira deux autres bouffées pour lui-même avant qu'on se remît en marche avec mieux de prudence, Aw Sam tâchant de trouver pour Pons des passages à gué. Traversant un brouillard d'insectes ils avançaient dans la forêt, glissaient en remontant son ventre moite, en se retenant aux branches. Trente mètres au-dessus d'eux, de premières frondaisons formaient une voûte humide, dentelée comme de la vieille éponge. Trente mètres encore au-delà se tressaient des faîtes d'arbres géants dans l'entrelacs des lianes enchevêtrées, réseau de câbles diffusant une lumière mille fois réfractée, diffractée au cœur du système vert. Et le soleil forait parfois son chemin dans ce labyrinthe pour aller poser comme au cirque son faisceau sur quelque fauve, quelque singe surpris par la rareté de cet événement, pris au dépourvu, manquant cette exceptionnelle occasion d'exécuter un petit numéro.

Après vingt-cinq minutes de marche, ils atteignirent une clairière drageonnée d'hibiscus et de rhododendrons, tachée de lichens polychromes, occupée par cinq hommes assis, adossés au tronc d'un diptérocarpe. Ils s'appliquaient fort à extraire, pour les manger, les graines des fruits du grand arbre chus parmi les fleurs rouges. Le plus grand des cinq sourit en se levant à l'approche de son frère ; les gemmes rouges sertis dans ses incisives luisaient sous l'émeraude de l'air.

Aw Aw, cadet d'Aw Sam, pria d'un geste le duc de s'asseoir. Pons déclina d'un autre geste, méfiant des reptiles autour des orchidées. Qu'est-ce que c'est que ce cirque, grogna-t-il. Aw Aw sourit sans répondre. Sa personne forçait une sympathie complexe, de celles dont on se veut de se méfier. Pour déranger sa gêne, le duc examina son bras où depuis un instant jouait une autre gêne – moustique de fort calibre qu'il écrasa. L'insecte rendit une autre touche de rouge en explosant.

– Alors qu'est-ce qui se passe, grinça le duc. Vas-y donc.

– On prend le maquis, annonça carrément le plus jeune des frères Aw. Tout le monde est prêt, les conditions sont réunies. Je me retire avec ceux-là pour préparer le moment, on attend le moment. Quand ?

– J'ai écrit, dit Pons. J'attends la réponse, patience. Il y a quelques points, quand même, qu'on n'a pas réglés.

Le partage du pouvoir, par exemple, après qu'on l'aurait pris, restait à négocier. Pons, qui entendait bien garder au moins son statut de gérant, se trouvait pris de court. Il n'aurait pas pensé que les choses iraient si vite, ni même imaginé le terme du processus – on s'habitue ainsi à une grossesse, on en oublierait presque l'inévitable issue.

– Les armes, par exemple, on n'a rien réglé pour les armes.

– C'est vrai, dit Aw le jeune. Alors, quand ?

Il souriait toujours sans se troubler. Dans ses dents de devant, les pierres semi-précieuses luirent un instant d'un éclat plus vif, comme sur un tableau de bord un voyant fait état d'une urgence, et le duc eut une sale impression.

– Je m'en occupe, dit-il, je vais m'en occuper. Il faut que j'écrive encore. Ce soir.

– Vous en êtes sûr ?

– Je sais ce que je dis, petit.

– Pardon, mais vous êtes sûr de votre fournisseur ?

– Bien sûr que je suis sûr, s'énerva le duc. C'est l'affaire de quelques semaines, peut-être un mois, mais c'est ce qu'il y a de plus sûr. Je vais aller en France, de toute façon, je m'en occuperai mieux là-bas.

– C'est bien, dit Aw Aw.

Le duc se vit au pied du mur, grignoté par le découragement : il allait donc falloir s'en occuper vraiment. Il évita le regard des frères Aw, détourna le sien vers leurs hommes. Accroupis sous l'arbre immense, deux Negritos commentaient à mi-voix cet échange dans leur langue introuvable ; l'un d'eux pressait de l'index une détente imaginaire, le reste de sa main fermé sur un espoir de crosse.

– Bon, conclut Pons, je crois qu'on s'est tout dit.

Une heure plus tard, les pieds dans une cuvette d'eau vinaigrée, un demi-verre à dents de gin dans la main, il cria d'entrer à nouveau lorsqu'on revint frapper contre sa porte. Cette fois, c'était l'interprète.

– C'est le capitaine, annonça l'interprète. Il vient d'arriver.

– Nom de Dieu, invoqua le duc en vain, vidant son verre pour agripper une serviette-éponge. Dis que j'arrive, va vite lui dire.

Le capitaine Illinois se tenait au cœur de la petite usine en compagnie de Raymond Jouvin. La chaleur avait contraint le navigateur à ôter sa veste de drap, ainsi que sa casquette qui tournait mollement au bout de son gros doigt. Elle tombait de temps en temps, à l'envers quelquefois, on voyait alors le pourtour intérieur de la coiffe, la ruine d'un ruban de cuir veillée par un papillon de soie déteinte. Le capitaine ramassait la casquette en soufflant, se redressait en essorant sa barbe, épongeait d'un mouchoir impeccable son front barré de rouge par le couvre-chef. Ses pommettes étaient rouges, son petit œil toujours bleu. Le duc hors d'haleine les rejoignit dans la salle de coagulation.

– Pierre-Yves, s'exclama-t-il.

– Hon, vibrèrent avec chaleur les cordes vocales de l'officier de marine.

Ils s'empoignèrent par la main droite, usant de la gauche pour se claquer les omoplates. Un registre à la main, Jouvin considérait ce rituel du fond de sa chemise. Poursuivons, fit-il prudemment lorsque le rythme des claques commença de faiblir.

Chaque visiteur lui était l'occasion de parcourir l'usine en prononçant des chiffres. Laissant les bacs de coagulation, l'époux Jouvin précéda le capitaine dans les salles suivantes où l'on pressait, lavait, découpait le coagulat en feuilles minces, qu'ensuite l'on séchait et fumait dans une chambre spéciale empestée de créosote. Le duc s'abstint d'y pénétrer, jetant des regards sur les ouvrières affairées, leur adressant différentes sortes de sourire selon.

Le capitaine était en larmes au sortir du séchoir-fumoir. Sans cesser un instant d'énumérer, l'inaffectif Raymond tint à poursuivre jusqu'à l'atelier d'emballage, terme de la chaîne de production. Plus tard, dans l'entrepôt, adossés au mur élastique, ils convinrent que le stock serait chargé le soir même sur le nouveau camion de la plantation, celui-ci gagnant le lendemain matin la station côtière où le *Boustrophédon* avait jeté l'ancre. On se revoit pour dîner, dit Jouvin, pour signer les papiers. Puis il s'en fut, l'air affairé. Comme il régnait un peu de relative fraîcheur dans l'entrepôt, le capitaine remit sa casquette en s'aidant des deux mains. Quoi de neuf à bord, s'enquit poliment Pons.

– Ça va, ça va bien. Quoique les gars sont énervés de temps en temps, je ne sais pas à quoi ça tient. Chacun leur personnalité, hein.

– Vous allez revenir quand, Pierre-Yves ? C'est pour quand, le prochain transport ?

Illinois tira de son uniforme un robuste carnet de carton fort, fermé par un large élastique, et qu'il feuilleta quelques instants avant de présenter une page à Pons : imprimée en bleu clair, pas bien droit, la date se situait quarante jours plus tard.

– Ça pourrait aller, dit Pons, ça peut encore aller. Vous revenez à vide ?

L'index marin, durci comme de la vieille sacoche, descendit de cinq centimètres sur la page où s'alignaient les mots pièces détachées, semences, vin, d'une grosse écriture ronde et presque trop lisible.

– Il vous restera un peu de place ? Ce serait pour pas grand-chose, une dizaine de caisses. Cinq ou six mètres cubes.

Le capitaine réfléchit, puis hocha.

– C'est bien, dit le duc, je serai là-bas de toute façon, je dois faire le voyage. Ensuite je reviendrai avec le chargement. Je m'occuperai de tout ça, l'embarquement et tout, ça ne gênera pas. On se revoit au dîner ?

L'officier de marine s'éloigna dans le soleil, rejetant crânement sa veste sur son épaule, rajustant sa visière sur ses brefs cheveux sains, chaloupant dans son pantalon salé. Pons le suivit du regard avant de retourner aux champs.

Le soir, après le dîner, Pons avait réintégré son bungalow dont il arpenta les deux pièces un moment. Il était amer, son esprit s'encombrait d'une tristesse agacée que démultipliait ce repas ridicule : Luce qui piquait du nez dès la salade, Jouvin se prévalant de sa prospective, le capitaine et son lexique étroit ; le duc, lui, s'était emmerdé. Il entreprit de ranger encore sa table où durcissaient les restes de son déjeuner, où les pages des revues adossées aux murs s'affaissaient comme des ailes d'oiseaux morts. Il fit un peu de vaisselle puis revint s'asseoir devant ses plans et ses photographies de jardins astronomiques.

Il s'était abstrait là-dedans, rêvant à son gnomon qui serait, oui, d'échelle haussmannienne. Nombre d'instruments de mesure l'entoureraient, plein de gradations et de cadrans sur lesquels son ombre portée produirait plein de sens. Ce serait donc, inspirée de Jai Singh II, une de ces gigantesques équerres étroites, percées d'alvéoles, comme il s'en trouve dans quelques villes de l'Inde du Nord depuis deux ou trois siècles. Un escalier dentellerait sa raide hypoténuse orientée vers le pôle, Pons y grimperait chaque jour, chaque nuit, pour procéder à maint relevé. La forme et la découpe de son projet, la possibilité de monter dessus, tout cela procurait une exaltation toujours neuve au duc Pons qui voyait là, oui, l'idéale trace qu'on pût laisser de son passage sur terre. Restait ce problème de la matière première, avec lequel il fit comme chaque soir quelques passes, avant de le renvoyer au toril en compagnie des autres questions pendantes. Pons n'était pas pressé, Pons avait le temps : sans doute terminerait-il ici son existence dont rien ne laissait prévoir une trop proche issue, on s'accommode tard des amibes. Il avait refermé le dossier, il regarda le mur en face de lui.

Outre la photo du neveu à treize ans (adossé à un platane, le petit Paul J. s'efforce de sourire mais il paraît souffrant, convalescent), il y a là celle de l'un des appareils (*Rashivalaya Yantra*) construits par Jai Singh II, une carte postale cachetée à Bayonne en août 1953 (« Mon petit Jeff, il fait très beau, j'ai retrouvé plein de gens de l'an dernier, Gérard dont tu te souviens sûrement, il était là l'an dernier, il fait vraiment très chaud, je te serre contre moi, Lili »), un polaroïd (avec très peu de cuir noir sur elle) d'une femme rencontrée au cours d'un voyage d'affaires à Singapour. Tout cela tient à l'aide de punaises à tête bleue.

Les yeux de Pons se sont arrêtés sur la photographie du garçon. Ses mains cherchent à tâtons sur la table, attirent un bloc de papier à lettres par avion. Les enveloppes assorties viennent avec, puis un crayon décolle de sa base en fer blanc. Le duc lève le crayon, l'immobilise en point fixe au-dessus du bloc, son regard flou s'est maintenant retourné sur des souvenirs qui grouillent à l'intérieur de lui. Puis il écrit. La date en haut, à droite. Mon petit Paul.

13

Comme d'habitude, Bob est vêtu d'un blouson de cuir et de jeans pâlis. Il a chaussé des bottes noires à talons biseautés, mais aussi des lunettes noires italiennes très couvrantes, et il s'est ganté de chevreau.

Il approche à pas vifs d'une vitrine protégeant des joyaux indistincts. D'un geste sec, il baisse d'un tiers la fermeture éclair du blouson, en extrait un gros marteau qu'il abat sur la devanture par son milieu, produisant une ardente explosion de matière vitreuse, joyeux tutti de cymbaliers ivres en fin de banquet corporatif, et de gros éclats triangulaires font avalanche sur le tarmacadam ; d'aucuns, prismatiques, décomposent fugacement la lumière du jour ; l'un d'eux, trop acéré, vient entailler la croûte de cuir de sa botte gauche.

L'accès aux bijoux se trouve déjà bien dégagé, mais Bob continue de frapper furieusement sur le moindre éclat de verre, comme si c'était après leur transparence qu'il en avait. Paul considère cela sans comprendre, n'ayant jamais vu son ami dans cet état.

– Un exemple entre mille, énonce une voix d'homme grave, pour illustrer le thème du débat d'aujourd'hui.

On voit cet homme grave, ses mâchoires sont carrées, ses dents sont détartrées. Il se tourne sur sa gauche, sur sa droite : nos invités sur ce plateau, Jacques Terrasson, Gérard de Broche. A leur tour on les voit. L'un d'eux – Terrasson – mûrit sous les sunlights, son cœur bat trop vite sous le bleu roi mais il s'admire d'être là. Plus pâle, plus chiné, de Broche paraît aussi plus ennuyé, il jette un œil condescendant sur le bout de crocodile contenant son pied.

Dans le studio attenant, une jeune dame en pantalon fait signe à Bob qui cesse aussitôt de cogner. Il s'approche, son marteau à la main – elle maintient une distance entre eux. Sur un autre signe il la suit jusque dans un bureau, où la jeune dame lui tend un formulaire : Bob y porte son nom, ses numéros de compte bancaire et de Sécurité sociale. Après qu'il s'en va, les débats commencent de battre leur plein devant les ménagères, peut-on vraiment parler d'aggravation sensible ? Sensible n'est pas le mot, s'étrangle Terrasson, ce n'est pas sensible qu'il faut dire. Sans insister, Paul presse un bouton sur le boîtier de la télécommande. S'il y avait encore du monde connu sur les autres chaînes ? Et tant qu'à faire la fille au feutre gris ? Non, c'est une histoire de clones.

Un inventeur confectionnait des hommes à son image. Ceux-ci l'aidaient dans ses travaux, qui consistaient à produire toujours d'autres doubles de lui. Quoique ce processus, très vite, s'accélérât bien sûr follement, une grande harmonie régnait dans le laboratoire, le savant s'entendait à merveille avec ses doubles. Jusqu'au jour où l'un d'eux, pris d'une légitime crise d'identité, affirma être lui-même le savant, celui-ci n'étant qu'un de ses clones usurpant son état civil, Paul se perdait bientôt dans l'abyme des trucages. Il se trouvait assis dans le fauteuil rouge, un plateau devant lui supportait un verre de vin blanc, une assiette blanche sous une viande froide avec du ketchup rouge dessus, un jet de moutarde jaune très clair, très forte, qui faisait pleurer Paul, brouillait supérieurement la trame du téléfilm.

Ensuite il tournait à nouveau dans l'appartement :

même à deux, ç'avait été déjà trop grand. Toutes les fenêtres de la tour d'en face étaient fermées sauf une, par quoi le retraité exposait toujours à l'air son chien marron serré contre son buste, les pattes de l'animal se détachaient nettement sur le cadre en aluminium. Plus à gauche, Paul savait que vivait une seule femme efflanquée de cinquante ans, peut-être quarante-cinq, peu attirante quoique joviale. Elle mettait fort la musique en pédalant avec ardeur, tous les dimanches matins, sur un vélo d'entraînement fixé au sol de son living, sa grande bouche fendue en sourire haleté sur ses longues incisives d'alezan, l'accordéon voltigeant en flopées nacrées par la fenêtre ouverte.

Puis à nouveau la chambre. Dunette pendant les nuits d'orage lorsque le vent faisait frémir la tour, Paul s'y tenait comme Illinois lui-même à l'époque du cap Horn, recommandant son âme, tirant des plans pour qu'on s'en sorte. Mais aujourd'hui le temps est d'huile, il coule comme une huile froide. Le téléphone dort, il n'y a rien à faire ici. En passant par la salle de bains, Paul prend dans l'armoire un sac de vêtements sales.

Plus tard il se livrait dans la cuisine à de petites interventions. Rinçait un verre, chauffait de l'eau pour une idée de thé, vérifiait la péremption gravée sur la capuche d'un yaourt divorcé. La machine à laver dévidait son programme par déclics, par vibrations diversement rythmées, du sensuel prélavage à l'essorage furieux pendant quoi l'appareil forcené gronde en tremblant, trépigne sur place en effrayant : la rotation de ses entrailles devient intenable au point qu'il désire à toute force s'échapper, fuser vers le ciel en trouant les plafonds, les planchers successifs, tournoyer à travers la cuisine en broyant tout sur son passage comme quand un bœuf viviséqué, emballé de douleur, brise ses liens en beuglant des malédictions, démolit le bloc opératoire qui s'effondre par pans sous sa charge, les pinces et les ciseaux chromés banderillés virevoltant dans sa chair balisée de gaze rouge. La fureur des machines à laver s'opposant au bourdon des réfrigérateurs, placidement alternatif, les cuisines sont ainsi des corrals pleins de machines sauvages et domestiques groupées autour des gazinières où bouillonnent les eaux du thé. Paul surveille son cheptel, solitaire vacher traversant un désert de sel.

On sonne à la porte et c'est Bob qui se frottait les mains sur le palier, son cuir toujours zippé jusqu'aux oreilles, deux sucres dans son thé, pas si chaud dehors, quoi de neuf, ça n'a pas l'air d'aller. (Il vide sa tasse.) On va sortir un peu, l'air frais. Ça va te faire du bien.

Il n'a pas ôté son blouson, il rappelle l'ascenseur. Tu as repensé à Bouc Bel-Air ? Paul enfile quelque chose, laissant renâcler seul son troupeau mécanique. Ce qu'il t'a dit l'autre jour ? insiste Bob. Paul se boutonne. Sa bouche va s'ouvrir, prise de vitesse par la porte de l'ascenseur qui découvre une cabine bondée de femmes enceintes. On se tait jusqu'au rez-de-chaussée.

La porte se rouvrit sur le hall au beau milieu duquel, dans la position du pied de grue, se tenait le dénommé Toon aux traits poupins sinon déjà bouffis, avec sa mauvaise tête d'ancien enfant vexé de n'avoir pas crû comme tout un chacun. Sa chrysalide restait son pardessus trop large, trop long, dont la ceinture trop serrée déversait un Niagara de plis jusqu'au bas des chevilles ; un chapeau mou ombrait les butées molles de son visage comme un relevé de courbes de niveau. Il s'approcha d'eux, ses mains dans ses poches secouaient des clefs, des pièces de monnaie, ses phalanges craquaient vindicativement parmi la sonnaille des alliages.

– Il y a Lucien qui veut vous voir, fit-il d'une voix haut perchée, avec un mouvement de menton.

Il désignait le gris clair de la rue à travers les portes, au-delà des pantodons et des scalaires sinuant entre les bulles, les néons envasés, étudiant l'air derrière les vitres protectrices de l'aquarium géant. A cent mètres de là stationnait un 4 × 4 Lada brique, haut sur pneus, dont la lunette arrière s'ornait d'un autocollant vert conviant à la visite du parc paysager de Waterloo. Au volant, Van Os regardait grossir les trois hommes à la surface du rétroviseur.

Toon et Bob se glissèrent à l'arrière, Van Os ayant désigné la place du mort à Paul – dont un pan d'imperméable se prit dans la portière claquée. Il y avait beaucoup de bruit dans cette voiture pleine d'hommes, la radio étant branchée fort sur la fréquence qui relie au district de tutelle les brigades mobiles lâchées dans les arrondissements. Sereinement on se conviait sur divers lieux du crime ou simples théâtres de faits divers, on se communiquait des signalements rongés de craquements parasites, de gargouillis couvrant parfois le propos, le rendant inintelligible, les fonctionnaires le répétaient alors plus haut. Van Os posa un doigt sur ses lèvres en se tournant vers Paul : il semblait, partition en main, accueillir dans sa loge un retardataire au beau milieu du larghetto ; Paul n'entendait rien à ce que se criaient les policiers.

Lucien Van Os était longiligne et vêtu de sable, avec un nez comme une étrave, une pomme d'Adam presque pointue, un nœud de cravate à peine défait, un faux air de Randolph Scott leucémique. On distinguait bien sous la peau blanche le squelette de sa main, de son poignet autour duquel un gros bracelet-montre à douze fonctions avait du jeu. Ses cheveux jaunes et blancs luisaient sur les tempes, l'occiput, leurs sillons gelés conservant fidèlement le bon souvenir du peigne. Son front haut luisait aussi, ses joues creuses regorgeaient d'or dentaire, tout en écoutant le poste il mâchonnait l'une après l'autre branche de ses lunettes.

L'oreille sachant accommoder comme l'œil, Paul finit par saisir le fil de la fréquence policière. On y faisait état d'épiphénomènes dans les environs : cycliste fracturé gare d'Orsay, vieille dame forcenée rue du Commerce, vive odeur de gaz vers Javel. Van Os parut s'en désintéresser, il baissa le volume et considéra Paul :

– Ça va mieux ? L'autre jour vous aviez la petite voix au téléphone, vous n'aviez pas la bonne voix. Il faut m'appeler quand ça ne va pas. Passer me voir à l'hôtel, ça vous changera les idées.

Sa voix grave en même temps qu'acide, rauque et sucrée comme le son de la clarinette basse ou le goût du jus de raisin, se laissait distinctement porter sur le clapotis des ondes courtes. Paul tirait sur l'imperméable pour en dégager le coin.

– Vous avez réfléchi ? reprenait Van Os. Vous croyez que vous pourrez me trouver quelque chose ?

Le coin ne venant pas, Paul regarda ses mains d'un air buté.

– Je ne m'en occupe plus, fit-il, je vous ai dit. Je ne veux plus m'en occuper. Il n'y a plus rien, de toute façon, je n'ai plus de contacts. Essayez de voir ailleurs.

– C'est des conneries, jugea Toon derrière lui, tu parles qu'il n'y a plus rien. Ils ont tout ce qu'ils veulent, oui.

Sa propre voix flûtait comme une sirène de petit remorqueur dans l'air gris. Paul regarda par la vitre du 4 × 4, pas grand monde dans cette rue, peu de secours potentiel au cas ou.

– Qu'est-ce qu'il en sait, lui ? intervint Bob. Qu'est-ce que tu en sais ?

– Oui, tais-toi, dit à son adjoint Van Os, tu es idiot. Il est idiot. Voir ailleurs, vous croyez que c'est facile ? Vous n'avez pas idée. Non, traitez avec moi, s'il vous plaît. Je sais ce que sont les prix, je connais la valeur des choses et je paie.

Toon venait de poser sa main respectueusement pote-lée sur une clavicule de son chef, juste comme s'échap-pait du poulailler hertzien fixé sous le tableau de bord une voix plus pressée, plus hiérarchique. Ecoutez ça, dit-il. La voix faisait état d'une fusillade à Vanves, devant une agence bancaire du carrefour de l'Insurrec-tion, elle exhortait les collègues disponibles à s'y préci-piter pour y participer.

– C'est Henri, fit Toon avec excitation, ils se sont plantés. C'est Henri, ils se sont foutus dedans.

Van Os actionna promptement le démarreur. Voyez, dit-il, le souci que c'est d'être équipé. Bon (le moteur écuma), je ne vous propose pas de nous accompagner. Réfléchissez, ajouta-t-il en se penchant pour ouvrir la portière côté Paul, libérant le coin d'imper en apnée. Quatre secondes plus tard, les quatre roues motrices du modèle soviétique faisaient décroître sa masse rougeâtre vers la banlieue sud.

– Tu as vu, dit Bob, exactement comme Bouc avait prévu. C'est lui, tu as vu ? Les lunettes et tout.

– J'ai vu, dit Paul. Au fait, qu'est-ce que tu fabriquais tout à l'heure dans ma télévision ?

– Ah, fit Bob, c'est l'assistante de l'émission, une copine. Ils cherchaient quelqu'un pour casser quelque chose, je me suis proposé. Tu as vu ça aussi ?

14

Cette fois, quand un mauvais rêve l'éveille, Charles congelé dans sa sueur froide ne sait plus où il est. Quelques secondes il s'inquiète de cette molle surface moite où gît son corps, peu sujet d'habitude à la terreur nocturne. Il tend un bras dans le noir, l'extrémité de ses doigts rencontre un abat-jour, descend le long du pied, découvre l'interrupteur : Chantilly. La mémoire lui revient, il grogne, ramasse le livre ouvert à plat ventre sous la lampe. Charles lit quelques lignes, s'étonne de si vite s'assoupir à nouveau. Il éteint puis se rendort, lové dans le nœud des draps.

Il dormait encore lorsque Nicole pria Justine de s'occuper de lui ce matin. Elle devait sortir assez tôt, Charles ne serait peut-être pas encore levé. Tu lui expliques – elle aspira du bout des lèvres un centilitre de thé fumé –, tu en sais autant que moi.

Sous un bref peignoir de soie grise marqué d'un grand idéogramme dans le dos, Justine regardait sa mère en cheveux dans la dentelle froissée. Entre elles une éminence de toasts surplombait la nappe, entourés de tout ce qu'il faut pour étaler dessus, mais elles n'y touchèrent pas. Elles touchèrent à peine au lapsang souchong qui continuait de sourire en paix au fond de leurs tasses, de plus en plus froidement après qu'elles l'eurent laissé. Nicole était partie vers une longue heure de salle de bains, Justine sortit chercher en frissonnant des cigarettes dans l'Austin. Il y avait encore, le matin, de petites choses froides et coupantes dans l'air, et l'intérieur de la voiture fleurait le cuir, le bois, le vétiver, le tabac turc. La jeune femme rentra vite dans la maison, passant d'un trait deux marches bornées par deux autres anges blancs (l'éponge vinaigre, les clous) baignés de rosée, au-delà de quoi l'Austin se mirait irrégulièrement dans les portes-fenêtres, sous les frondaisons respirées.

Vêtue d'un sweat-shirt en éponge de velours, d'un pantalon à impressions de cobra, Justine était revenue plus tard dans la salle à manger où Charles déjeunait lentement ; debout près de lui, Boris le regardait faire ; il disparut presque aussitôt. Charles avait levé la tête. Il avait rendossé ses vêtements, entre-temps lavés et repassés. Il exhalait un discret alliage de lessive et de lotion.

Justine rappela tout ce qu'avait dit Nicole à propos de Jeff Pons dont Charles conservait un souvenir attendri, étroit d'épaules. On convint de certaines dates, d'une ville au bord de l'océan, Charles refusa l'argent, puis Charles prit la moitié de l'argent. En quittant la villa Fischer, il posa son regard sur la haute pendule de Boulle dans l'entrée : sur ses flancs, deux Cupidons retenus au feuillage de cuivre, veillés par un ange noir armé d'une faux, désignaient onze heures trente. A dix-sept heures trente, Charles se retrouva au cœur du bois de Boulogne, un peu avant la fermeture du Jardin d'acclimatation.

On le sait, toute sorte de manèges se trouvent essaimés là, petits circuits routiers, ferroviaires et aéroportés, bondés d'êtres de petite taille téléguidant des baby-sitters lasses dans l'amusant réseau. Chaque manège est flanqué d'une construction solide qui tient lieu de caisse et de remise pour le matériel – bâches, carnets à souche, sono. On l'a conçue comme un modèle réduit de maison, parfois décorée dans le genre bavarois, basco-béarnais, breton – clochetons, crépi, chaume ou chevrons selon. L'arrangement de ces édicules compose une cité miniature où deux gendarmes confirmés, casernés dans un vivier gris d'inspiration réglementaire, se chargent d'inculquer le code sur voiture à pédales.

Charles avait occupé, pour une nuit d'été, presque tous ces abris. Le parc était une résidence d'accès techniquement aisé. Les exploitants quittaient leur poste de travail après la fermeture sans laisser dans leur pavillon rien de précieux, rien en tout cas qui justifiât la pose d'une serrure plus sophistiquée que le passe simple de l'homme errant.

On allait donc fermer, les enfants s'agrippaient fermement aux sièges des véhicules, opposant à l'exaspération des mères une résistance passive et giratoire. Enfin, vu l'heure, chacun cessa son manège et s'en fut. Charles s'était caché dans un bouquet bordant la Rivière enchantée où flottent de plates barques sans rames, voiturées par le seul mouvement d'eau perpétuel. A travers les feuillages il aperçut les gardes en uniforme un peu lâche, il les entendit rabattre à coups de sifflet les petits êtres vers la sortie.

Le silence rétabli, Charles enfermé dans le parc inspecta les maisonnettes familières, spécialement celle de l'Express Railway où il avait aménagé une cache au-dessous de la caisse. Il désassembla quatre carreaux qui tenaient sans jointoiement comme des pièces de puzzle, et sous lesquels patientait une enveloppe de vieux plastique épais, pareil à de l'huile solide où luttaient âprement l'opaque et le translucide. En feuilletant le passeport Charles croisa son image, sans connivence, puis il replia son identité dans sa housse.

Plus tard il déambulait dans le parc vide à la recherche

de son dîner. Non loin d'une panoplie d'agrès qui se détendaient, deux poubelles se montrèrent correctement garnies de reliefs de sandwiches et de gâteaux secs dont Charles élimina les bords souillés, rassemblant le reste dans une serviette en papier presque vierge. Ayant même découvert une boîte aux deux tiers pleine de soda dégazé, il s'installa dans un petit avion vert, tranquille au bout de son bras mécanique. La place était étroite, Charles pliait ses genoux contre sa poitrine, de part et d'autre du minuscule volant, son arlequin disposé devant lui sur le nez luisant de l'appareil. Il mâchait lentement tout en regardant le ciel noircir.

Il s'endormit derrière les miroirs déformants, puis quitta le parc d'attractions bien avant l'ouverture. C'était en semaine et peu de public viendrait s'y divertir. Vers la porte d'Auteuil, des enfants pensifs se pressaient, leur sacoche tressautant contre leurs omoplates. Au bout d'une demi-heure de marche, Charles s'arrêta dans une petite rue calme, devant deux étages pleins de lierre séparés du trottoir par une grille basse et vingt mètres carrés de rosiers.

Charles poussa le portail, sonna à la porte et Gina de Beer vint lui ouvrir. Lèvres roses, trois tours de perles roses au cou, heureux sourire de veuve reposée, ses yeux et ses dents produisaient un éclat distingué, sa salive était sans doute sucrée.

– C'est toi, s'élargit son sourire. Entre.

Salon tiède et net troué de miroirs, taché de fleurs dans l'odeur de la cire, des cadres en bois doré contiennent des aquarelles sans importance. Une porte ouverte, au fond, laisse voir un lit un peu défait. Charles plie sa parka sur le dossier luisant d'une chaise. Je ne te dérange pas ?

– Installe-toi bien, tu es fatigué.

– Non, dit-il en prenant la chaise, non.

– Quelque chose de chaud, tu veux prendre une douche ? Je vais te faire couler un bain.

– Je veux bien, dit Charles. Quoique j'en ai pris un hier, déjà.

– Ça détend, dit Gina de Beer, ça va te détendre, mets-toi mieux. Installe-toi tout à fait bien, je reviens. Tu as soif, tu sais où sont les choses.

Il n'a pas soif, il écoute le déroulement de l'eau courante à l'autre bout de l'appartement, d'où bientôt parviennent des effluves de sels puis la voix de Gina qui appelle. Il se lève, disparaît, l'eau cesse de courir au loin, le salon est vide. Silence, Gina de Beer revient, traverse le salon vers la chambre dont elle ferme la porte sur elle. Long silence, Charles ne chante ni ne siffle dans son bain, il reparaît au salon seulement vêtu d'un grand slip à poche très propre, avec encore les plis du fer aux hanches. Il marche vers la chambre, ouvre la porte. Déshabillée sur le lit entrouvert, Gina de Beer est penchée vers la lampe, elle dispose un foulard autour de l'abat-jour. Elle se tourne, elle remonte le drap. Tu fermerais la porte, sourit elle, s'il te plaît. Charles s'est assis de l'autre côté du lit, il passe un doigt entre ses orteils où c'est encore mouillé, il regarde Gina de Beer. Gentil petit rire gêné de Gina, qu'est-ce que tu as, tu ne veux pas ? Bien sûr que si, dit Charles en se soulevant juste assez pour faire glisser le slip avec ses pouces. Attends, dit-elle, ça ne t'ennuie pas de pousser la porte ?

Après le déjeuner, Charles pria Gina de réunir quelques effets laissés chez elle. Secret de son assez bonne allure, il possédait en effet un peu de rechange qu'elle transportait volontiers au pressing entre ses visites. En revanche il refusa les bagages, serviettes ou mallettes d'un cuir exagéré, qu'elle lui proposa. Un petit sac ferait mieux l'affaire, un petit sac de gymnastique en toile que Gina retrouva au fond d'un placard, tout recroquevillé, tout résigné, tout espoir perdu qu'on voulût bien lui mettre quelque chose dedans.

– Toutes tes affaires, s'inquiéta Gina. Tu t'en vas ?

– Peut-être, dit Charles en passant à son épaule la courroie du sac comblé. Quelques jours.

– Tu ne vas pas revenir, s'embrasa-t-elle soudain. C'est ça, tu ne vas pas revenir.

– Bien sûr que si, dit Charles doucement. Enfin, Gina, bien sûr que je reviendrai.

L'affichage s'était modifié depuis deux semaines qu'il n'était plus passé à Saint-Ambroise ; des promesses neuves s'incurvaient le long de la voûte de la station, mais la caisse n'avait pas bougé. Charles arrivé par le métro la repéra tout de suite en bout de quai, avant même que le conducteur eût commencé de freiner – une grande caisse cadenassée servant de boîte à outils aux réparateurs du réseau. Deux personnes à quai attendaient la rame. Deux autres n'attendaient plus rien : une femme également proche de trente et soixante ans, endormie sous un patchwork froissé de sacs en plastique vides ou presque vides ; un jeune homme déchu de son éclat dodelinant sur son séant, lesté par un flacon bleu nuit serré dans le creux de sa main. L'éther badigeonnait l'espace d'effluves crus, qui firent bondir la paire d'usagers dans le tiède giron de la deuxième classe.

Celle-ci rentrée dans son terrier, Charles remonta le quai vers la grande caisse où il entreposait quelques autres possessions, deux paquets de tabac moite et deux grosses boîtes de conserve sans étiquette, conditionnées pour collectivités. Les uns dans ses poches, les autres sous le bras, il referma la caisse et revint sur ses pas, dépassant le jeune homme enclos dans sa bulle anesthésique. Il s'arrêta près

91

de la femme sous les sacs, se pencha vers elle, toucha son épaule.

– Ghislaine, prononça-t-il.

Ghislaine leva sa paupière sur un œil fixement méfiant, strié de rais polychromes. Charles sortit de sa poche un des paquets de tabac qu'il lui tendit avec une boîte – des petits pois, je crois. La paupière de la marginale fit un rapide aller-retour, dont Charles n'établit pas s'il dénotait la connivence ou le désordre neurologique, puis Ghislaine agrippa les présents d'une griffe instantanée, avec une vivacité d'insecte. Elle les enfouit dans un des sacs et ses yeux redevinrent fixes. Comme si, morte, il les lui fermait, Charles passa doucement la main sur son visage avant de sortir à l'air libre.

Les boutiques venaient de rouvrir dans le bas du Faubourg-du-Temple et cela sentait violemment le poisson, le jambon, le gaz d'échappement, le fromage et la pâte à pain, en un peu moins frais qu'au matin. Charles traversa le carrefour vers le profil de Frédérick Lemaître : comme à l'accoutumée, des pékins désœuvrés, adossés au comédien, suivaient l'évolution d'une péniche dans le sas. Passé l'écluse elle emprunterait le tunnel jusqu'à l'Arsenal, où l'eau canalisée revoit fugitivement le jour avant de s'abolir dans le fleuve. Charles profita de ce qu'elle absorbait l'attention de l'éclusier pour esquiver la grille, feinter la porte en fer barrant l'accès aux quais du canal souterrain.

Vite l'entrée n'était plus derrière lui qu'une tache laiteuse, un point blême en suspens dans le noir, à peine reflété par l'eau goudronneuse dont le clapotis semblait, par écho, provenir de toutes parts. Bientôt naquit un autre point dans le sens opposé, d'un orangé mobile, dévoyé de rouge et d'un peu de blanc, cela sentait drôle. Entre ces points régnait l'obscurité déformant la durée,

Charles progressait à tâtons, le plus loin possible du bord, frôlant la paroi de ses mains, s'égratignant contre les mallons bruts jusqu'à ce que l'orange fût assez proche en même temps que l'odeur drôle.

Celle-ci provenait d'un feu sourd autour duquel se tassaient quatre personnes. La lumière brune et l'ombre avare jouaient sur les visages creux, la division des sexes n'était pas bien sensible. Charles reconnut Vidal endormi à sa casquette verte – soi-disant arrachée à l'une de ses victimes, anonyme marinier dont on se serait ensuite nourri – ainsi qu'à la serviette SNCF toujours nouée autour de son cou : c'était lui le chef de cette fraction farouche de déclassés. Un blond assis près de lui se crispa en devinant l'ombre qui approchait, dès qu'il eut identifié celle de Charles il lâcha l'objet lourd qu'il venait de saisir. Une femme se retourna.

– Charles, fit Jeanne-Marie. Tu as un nouveau pantalon.

– Un vieux que j'ai pu faire reprendre, dit Charles. Voilà des petits pois, je crois.

Jeanne-Marie prit la boîte et se mit à fouiller dans le monceau de détritus sur quoi s'était établi le quatuor. Monceau d'aspect volcanique : le foyer au fond du cratère chauffait un chaudron noir, sans anses, d'où provenait cette odeur. Détritus d'origines très diverses : on s'expliquait mal leur cheminement jusqu'en un coin aussi reculé de la ville. Elle les remua en quête d'un ouvre-boîte, Charles finit par lui tendre son couteau suisse. Vidal entrouvrait les yeux.

– Charles, dit Vidal. Tu es venu avec une boîte.

– Des petits pois, répéta Charles, je crois.

– Des flageolets, rectifia Jeanne-Marie tout en vidant la boîte dans le chaudron. Ça ira bien avec la viande.

Charles s'assit près d'un homme nommé Henri, qui

se tenait un peu en retrait derrière Vidal. N'ayant qu'une jambe, cet homme dormait. J'ai aussi du tabac, dit Charles en se fouillant. C'est gentil, estima Vidal, parce qu'on ne sort plus beaucoup ces jours-ci, tu sais. On s'arrange pour manger. Il y a du passage, ajouta-t-il en désignant le canal.

Il ricana, le blond se mit à ricaner aussi, mais Charles était sceptique. A l'aide d'un fil de fer crochu, Jeanne-Marie touillait le contenu du chaudron, en retirant des choses qu'elle déposa sur un morceau de grillage. On se servit. Charles comme les autres mastiquait sa chose qui n'évoquait aucune saveur animale précise : mi-chair mi-poisson, cela renvoyait surtout au pneu brûlé, au plastique brûlé, au carton mouillé brûlé, à d'autres déchets imputrescibles se consumant sans flamme. Charles doutait qu'il s'agît réellement de chair humaine, ce pouvait être de bas morceaux de dernier ordre, sauvés de justesse dans une décharge d'équarrisseurs, et qu'une cuisson de plusieurs jours débarrassait de leurs miasmes en même temps que de leur identité. Vidal ricana derechef en crachotant un petit fragment dur.

— Tu es passé au courrier ?

— Rien pour toi, répondit Charles, mais tu as le bonjour de Boris.

Chacun, s'étant resservi de légumes, se mit sur ses coudes pour digérer. L'unijambiste Henri dormait toujours. Le blond jetait quelques graviers dans l'eau. Jeanne-Marie s'était rapprochée du foyer en dessoudant les pages moisies d'un magazine, parcourant ensuite les jolies personnes et les conseils pratiques de lavage en basse température. Le feu prêtait toujours de petites lueurs réticentes aux visages.

— Tu restes un peu avec nous ?

– Cette nuit seulement, dit Charles. J'ai à faire demain.

Il tira trois de ses dés de sa poche et l'on fit des 421, usant de capsules de Gévéor comme jetons de charge et de décharge. Ils parlaient un peu tout en jouant, parlèrent du monde comme depuis l'intérieur d'une caverne jusqu'à ce que Vidal montrât des signes de fatigue. Comme il s'étirait fort, Jeanne-Marie vint se blottir contre lui, le blond contre l'unijambiste. Charles s'endormit seul, à l'écart des anthropophages.

Il s'éveilla le premier, battit le Zippo. Un alliage de puanteurs froides et tièdes se dégageait des corps étreints près du foyer. Charles ramassa le petit sac de Gina qui lui avait servi d'oreiller, le passa en bandoulière et se remit en marche vers un point de jour naissant. Lâchées des grilles scellées le long de l'allée centrale du boulevard Richard-Lenoir, de pâles colonnes de lumière s'écrasent en larges taches à la surface du canal souterrain. Au sortir du tunnel, de grandes vedettes de plaisance vides baptisées *Clipperton* ou *Wanderlust* s'alignent le long du bassin de l'Arsenal, il y a même une *Abigail's daughter* à vendre. Charles s'assit sur un poste de secours aux noyés pour lire toute la pancarte : la description du bateau, son prix. Puis il longea la capitainerie en se dirigeant vers la dernière des neuf écluses du canal. Comme toujours il emprunterait les passages réservés au service, dominant l'eau sale où surnagent des continents de polystyrène expansé, des bouteilles vides, d'innombrables vieilleries. Une âcreté légère flotte sur le bassin, cela sent un tout petit peu la mer, les plaisanciers sans doute ont rapporté de croisière quelques molécules de sel et d'iode fondues dans le mazout, bues par la corde.

Contournant l'Institut médico-légal, Charles rejoignit

le fleuve qu'il longea vers l'amont jusqu'au port de la Rapée. Des lots de matières premières attendent là d'être chargés : briques, tubes, grillage et carrelage, caoutchouc de synthèse et sable de rivière ; l'isolant thermique, le béton cellulaire avoisinent l'acétylène, l'argon. Des camions bleus porteurs de bétonnières orange, des camions rouges à bétonnière blanche sont parqués en ligne, non loin de chariots élévateurs Fenwick jaunes et Clark verts. Un triple train de péniches endormies s'est enchaîné au quai, nommées *Francine* ou *Mekong*, battant pavillon déchiré de trusts pétroliers, de marques de bière. Les vitres des cabines encombrées de plantes vertes laissent voir des objets familiers, jouets, linge de corps, casseroles, cendriers pleins. Charles s'assura que tout le monde y était encore couché. Quelques voitures passaient vite dans le sens unique bordant la Seine ; œil humide sous pare-brise embué, leurs conducteurs étaient inattentifs. Charles parcourut le port en inspectant les piles de caisses, de sacs, les moteurs sous les bâches, les tas de choses disposés sur palettes. Contre chaque lot s'appuyait une planchette peinte en noir, signalant à la craie sa nature, sa destination, le nom de la péniche et l'heure du départ. Avisant un amas de galets massif comme une 4 CV, en partance pour Le Havre à neuf heures, Charles réfléchit un peu puis se retourna, découvrit un fagot de tuyaux en plastique de toutes tailles. Il chercha son couteau dans sa poche.

Il découpa trente centimètres d'un tube large de trois, puis grimpa sur cette éminence et se mit à creuser sous lui. Il s'enterra comme un insecte, prenant garde à ne pas trop modifier l'arrangement spontané des galets, à bien lui conserver sa forme de tas. Il s'y enfouit jusqu'à ce que sa tête seule dépassât, enfonça d'une main le tuyau dans sa bouche puis se mit à pédaler en pivotant, se vissant dans le galet, disparaissant à l'intérieur de lui, l'autre extrémité du tube saillant discrètement à l'air libre.

Six heures du matin comme chaque jour, tout est semblable au bord du fleuve à cet homme vivant près, serré dans la matière. Un peu de vent cellulite la surface de l'eau, bascule un squelette de feuille morte, pousse un bout de papier sec dans une flaque, lève la poussière avec un peu de sable. Charles bouge quelquefois, respire trop fort, entend alors quelques pierres qui dévalent comme si c'était à l'intérieur de lui, trouve le temps long malgré son habitude des situations vides.

On dut approcher de neuf heures puisqu'un doux moteur de Fenwick se précisait : l'élévateur véhicula le tas sur sa palette vers une grue de même couleur que lui, la grue happa la marchandise, la suspendit à travers l'air vers les cales de l'*Anthrax*, deux pigeons voletèrent alentour en braillant, s'effaçant devant une mouette prioritaire. En même temps que l'air, le tuyau conduisait à l'intérieur de Charles les bruits amplifiés de la manœuvre, les cris, les appels croisés sous les froissements de galets ; il percevait tout cela, dans sa grosse robe matelassée d'enterré vif. La palette toucha de guingois le fond plat de la péniche, vomit brutalement une partie de sa charge : souffle coupé, l'homme errant se crut perdu. Là encore, quoique sur tempo plus serré, la chose parut interminable – puis le tas récupéra son équilibre de tas. Charles souffla de soulagement, si longuement qu'il en perdit son propre rythme, respira de travers, ce fut douloureux de s'empêcher de tousser dans ce tube. Il recouvra d'autant plus vite son calme qu'on s'affairait à disposer près de lui d'autres matières premières qui rendirent un son clair, d'abord. Ensuite ce furent sans doute des sacs, des sacs sûrement très lourds qui tom-

97

baient vite par terre avec des bruits de ventouses. Puis on referma le pont, le noir envahit le tube. Il y eut encore quelques bruits étouffés au-delà du plancher amovible, des propos inintelligibles, des accents, Charles attendait qu'on actionnât le moteur. Dès que celui-ci battit, l'homme errant s'ébroua vers la surface du tas, ondulant et nageant de tous ses membres dans la pierre, mordant le tube très fort, par étapes extrait du galet comme son aïeul d'un limon.

Il passa ses mains sur son visage, longtemps, il frotta longtemps ses oreilles et son cou, plongea profond sous le col roulé de son vêtement. Ensuite il se frotta longtemps les mains puis se frotta tout entier en s'attardant aux chevilles, longtemps aux genoux, longtemps aux épaules, puis il recommença de se frotter les yeux, tout était très obscur. Il eut un peu de mal à cesser de se frotter. Il dut se contraindre à rester immobile, debout, les yeux grands ouverts dans le noir et le diesel, redécouvrant le rythme de son souffle, frissonnant comme nu.

Revenu à lui, Charles vida ses poches de l'excédent de galets jusqu'au niveau de ses affaires personnelles, à commencer par le Zippo. Zippo : alentour en effet des sacs mais aussi des socs, de grosses lames neuves de socs sous film plastique bleuté, et qui sonnaient si clairement tout à l'heure. Dispersant ses vapeurs dans celles du fuel, le Zippo se sentait en famille olfactive ; Charles s'époussetait encore un peu d'une main en le promenant autour de lui. Ce ne fut pas dur de découvrir une planche parmi d'autres planches, que Charles tira près des galets. Assis sur ses pieds, adossé au tas, il dressa le briquet sur la planche et tira tous ses dés de sa poche pour entreprendre une série de figures en trois coups. Juste comme lui tombait sec d'un full d'as les six, l'*Anthrax* bougea dans la direction de l'ouest.

15

A l'aéroport de Subang, l'attente avait contrarié Pons. La chaleur concentrée dans l'asphalte faisant trembler à sa surface toute chose en feu follet gluant, le duc commença de fondre par les deux bouts avant de se geler sous les climatiseurs ; glaçant sa chemise contre sa peau, sa sueur s'évaporait par lents et profonds frissons. Juste vêtu d'une enveloppe de coton, le duc prit soin de se changer dans les toilettes exiguës du Boeing, redoublant d'épaisseurs en prévision de Paris : sous trop de laine il était donc en nage à Roissy aussi, dans la file d'attente des taxis. Il était fatigué, les notions de sommeil et de jour se mêlaient, glissaient sur celles d'espace, de froid, il avait mal aux genoux. Il s'étonnait d'être fatigué, trop fatigué pour s'étonner de ne pas l'être plus ; il avait dû, pressé contre un tapis roulant, attendre sa valise longtemps. Toujours les mêmes bagages défilaient sauf le sien, parfois jetés de travers, leurs arêtes saillantes heurtaient ses genoux fragiles, une fois Pons crut tomber.

Une autre fois il se retint à la portière du taxi, après qu'il eut dû charger lui-même sa valise dans le coffre. En chemin, la banlieue nord se précisa progressivement : différente, certes, du souvenir qu'il en gardait, sûrement différente, des choses avaient sûrement changé qu'il ne sut voir, ne put distinguer des autres. Le taxi s'arrêta près de la Mutualité, devant un hôtel accroché à la mémoire de Pons.

Il existait encore, semblable à son image, également accroché à son bail, n'ayant gagné aucune étoile ; la chambre donnait sur une chienne endormie sur un plaid, au fond d'une cour à peu près claire sous les draps étendus. Pons ouvrit son bagage, le referma, s'étendit sur le lit pour s'aussitôt redresser, les coudes en équerre, je ne vais jamais dormir. Les brosses au fond de la valise, le savon ; le duc sortit de l'hôtel vingt minutes plus tard. Les mouvements de l'air, dans la rue, séchaient fraîchement son cuir chevelu. Il freina place Maubert devant une épicerie indochinoise, les mangues et la caissière déjà rappelaient le pays, puis il obliqua vers la Seine. Mais comme la banlieue nord et sans doute comme ces mangues, le fleuve tombait en porte à faux, mal synchrone avec ses souvenirs, à sa vue le duc Pons n'éprouva nulle satisfaction, pas la moindre émotion, pas ça de nostalgie. Plus tard devant un ballon de blanc, à la terrasse d'une brasserie vers Cluny, il en allait de même avec le blanc : ni lointain ni proche de celui qu'il se rappelait, pas même le même, pas mieux qu'un autre. Ce n'est rien, c'est la fatigue. Le décalage.

Des femmes passaient devant lui sur le trottoir large, encore couvertes. Le duc eut un peu froid, hésitant à se lever pour plonger dans la ville froide. Proche de l'hôtel, cette terrasse était une zone franche, protectrice, un milieu transitoire équivalent du pédiluve au seuil de la piscine. N'était le frais fond de l'air, Pons s'y fût assoupi. Après un autre ballon qui était un peu meilleur, il se leva quand même et se dirigea sûrement vers un bureau de poste qu'il savait là, aucune raison qu'il ait bougé du coin de la rue Danton. Sans doute la peau de Pons n'avait-elle pas éliminé toute l'humidité tropicale accumulée dans ses pores, car une épaisse buée se condensa sur la porte vitrée dès qu'il fut dans une des cabines du sous-sol.

– C'est Jean-François, dit-il. Pardon ? Bon, je ne quitte pas.

D'un index patient, Pons traça des formes dans la buée, une chaise, un profil, pendant que Boris courait de travers après sa maîtresse. Enfin la voix de celle-ci parut, Pons écrasa le combiné sur son oreille. C'est moi, Nicole, souffla-t-il. Jean-François.

– Oh, Jeff, exhala-t-elle.

– Bien passé, dit le duc, oui. Pas trop, un peu. Pas tout de suite, il faut d'abord que je. Et puis je voudrais voir Georges. Je sais, je sais, moi aussi, moi aussi. Demain. Moi aussi, oui.

Il raccrocha, réfléchit un instant, électrifia la chaise d'un zigzag machinal avant de regagner la grouillante surface du sol. Peu après, calé dans les housses pelucheuses d'un taxi Datsun, il découvrait la voie sur berge dans le sens du courant, en contrebas d'un front d'hiératiques façades sculptées dans de l'iceberg gris. L'allée des Cygnes à droite, matérialisant l'axe du fleuve, était toujours décorée des mêmes figurines – un couple, une bonne d'enfants, un lecteur sur un banc – qu'on trouve dans les vieux magasins de jouets. Le taxi ralentit quai André-Citroën au pied d'une tour de trente étages à parements jaunes, striée de baies vitrées, prise entre deux autres tours blanche et beige. Pons ouvrit la portière et leva la tête vers les hauteurs des bâtiments ; il s'en trouvait d'assez semblables à Singapour, qu'il faudrait voir vieillis ; les verrait-il vieillir. Il abandonna cette question dans le taxi.

Outre l'aquarium et les plantes vertes, le hall de la tour s'ornait d'appliques géométriques et de bas-reliefs en métal jaune, en verre fumé. Pons lut les noms, les numéros d'appartement sur les boîtes aux lettres dorées. Ses lèvres bougeaient sans bruit. Dans l'ascenseur il se trouva coincé contre le miroir du fond, l'une des femmes enceintes avait coiffé de légers écouteurs qui grésillaient dans le silence soufflé de la machinerie. L'une après l'autre sortirent avec leur cargaison ; Pons, vérifiant son image dans le miroir, poursuivit seul son ascension jusqu'à l'avant-dernier étage.

Derrière sa porte, Paul suivait une émission consacrée à la faune montagnarde : la sonnerie le raidit dans son fauteuil, les marmottes se figèrent sur l'écran. Il se leva, baissa le son, ouvrit la porte. Passons sur la surprise, passons sur les prophéties de Bouc. L'autre était tout de suite là, bien encadré par l'embrasure, toujours le même. Ah, Paul dit n'importe quoi, je pensais bien que tu allais venir. Le duc ne disait rien, son regard exprimant une dignité farceuse. Entre, ajouta Paul après qu'on n'eut point échangé d'accolade. Pons se laissa tomber dans un fauteuil en soufflant, faisant souffler l'enveloppe de cuir sous lui, tournant vers Paul son visage buriné de gris :

– Tu as reçu ma lettre ?

– Tu prendras quelque chose, supposa Paul en disposant de quoi prendre.

– Plutôt celle-là (Pons désigna l'étiquette jaune), vas-y. Vas-y, vas-y, vas-y, stop. Tu es beau, affirma-t-il en levant son verre, c'est bien. Je vois que ça va. (Il but.) Trente ans, n'est-ce pas, tu étais comme ça. (Il disposa sa main en pronation dans l'air.) Ça te fait combien, maintenant ? (Il but.) Tu as des nouvelles d'Albert ?

– La retraite, résuma Paul, ils ont pu lui trouver quelque chose. Quelque chose, tu vois, pour quand on prend sa retraite mais il paraît que c'est bien, il est bien, ils disent que c'est très bien. Ils vont le voir.

– Je vois, dit le duc, et la petite Monique ?

– Elle est retournée chez la mère de Georges, dit avec lassitude Paul. Après sa mort.

– Elle est morte quand, la mère de Georges ?

– Non, soupira Paul. Georges.

– Ah, fit Pons, parce que Georges est mort ?

– Une sorte de chute, expliqua Paul, il y a trois ans. Pons but.

– C'est une perte, déclara-t-il ensuite, c'est un malheur. Je ne comprends pas qu'on ne m'ait pas averti. Quand même vous auriez pu prévenir, c'est quand même la famille, merde. Tu avais mon adresse. Surtout Georges.

Paul exprimant d'un seul geste l'idée de l'éloignement dans l'espace et dans le temps, le duc produisit une minute de silence en buvant à la mémoire de Georges par petites gorgées, entre lesquelles il regardait ce qu'il restait dans le verre.

– Personne d'autre ? vérifia-t-il. Personne d'autre n'est.

– Je ne vois pas, dit Paul. Enfin Janine, mais tu sais.

– Janine c'était inévitable. Et toi, tu te débrouilles comment ?

Les bras de Paul s'écartèrent de son buste vers le décor, comme un comédien désigne poliment ce qui n'est pas lui : côté jardin Gaston Chaissac, côté cour la vue imprenable.

– Ça paraît bien, dit le duc, c'est bien. Alors tu as eu ma lettre ?

Autant que pût en convoquer Paul, ses souvenirs de cette lettre n'étaient que miscellanées en vrac où l'affectif se bousculait sans méthode au météorologique, l'éthique au géopolitique, l'autobiographique à l'astral comme dans un sac de linge. Avec, lui avait-il semblé, beaucoup de citations de mémoire, de points d'excla-

103

mation et de suspension, de parenthèses béantes et de questions laissées en friche. Un tel désordre y régnait qu'il n'avait pas vraiment pris garde à l'envoi final – envoi essentiel du point de vue de Pons, tout ce qui le précédait n'étant que garniture, mais de ce fait même un peu trop contourné –, allusions affectées à de nécessaires échanges, à des affaires que Jean-François voulait régler auprès des siens, assis sur le sol natal. Dans ce courrier Paul n'avait voulu voir qu'émanations, sentimentalement insomniaques, de vieil ivrogne colonial : Jean-François Pons était ce parent absent dont on ne tirera rien, qu'on ne reverra plus, à ce point disparu qu'on ne le couche même plus sur la liste des faire-part. Or voici le duc en pleine santé dans le fauteuil rouge, revenu du royaume des morts pour se resservir du whisky.

– Je te parlais d'une affaire dans la lettre, tu te souviens de ça ?

– Bien sûr, dit Paul, c'est-à-dire pas dans le détail.

– Une chose d'abord, dit Pons, je sais que c'est ton rayon. Ne me raconte pas d'histoire, ne nie pas. Je sais que c'est exactement ton rayon.

Il exposa la situation malaise. L'état des choses au sein de la plantation. Très vite on en vint aux questions logistiques. Paul comprit avec dix secondes d'avance ce que Jeff allait lui demander, tout de suite il grimaça, feignit de ne pas comprendre, voulut protester.

– Une chose, rappela Pons en levant un doigt, surtout ne raconte pas d'histoires, c'est Georges qui m'avait dit que c'était ton rayon. Il me l'avait écrit. Il s'inquiétait pour toi, Georges.

– Maintenant c'est fini, dit Paul. Je ne m'en occupe plus, maintenant.

– Tu connais du monde. Pour une quinzaine de per-

104

sonnes, tu vois, commanda Pons en arrondissant les bras devant lui, comme pour un gâteau. Une vingtaine, disons, comptons large. Du solide. Pas trop lourd, pas trop compliqué. Tu vois mieux que moi.

S'exprimant au conditionnel, Paul s'enquit d'une voix boudeuse et douloureuse de quelques précisions, parmi quoi la compétence technique et militaire des futurs utilisateurs. Rudimentaire, reconnut le duc Pons, et purement théorique : les soirs au fond du baraquement, l'aîné des Aw faisait courir son index plat sur des schémas délavés, polycopiés à l'alcool, devant les ruraux assoupis. Il distribuait aussi quelques brochures de temps en temps, mais les types se foutaient des brochures.

— Des fusils d'assaut, hésita le duc, il paraît que c'est le mieux. Naturellement je n'y connais rien, c'est le jeune dont je t'ai parlé qui m'en a parlé, le frère de l'autre, un garçon actif, des trucs dans les dents (il but), c'est lui qui m'a dit ça. Ça te parle, le fusil d'assaut ?

Paul indiqua des noms de modèles, des noms connus dans leur spécialité, aussi connus que Heinz pour le ketchup.

— Je ne te suis pas bien, dit Pons, mais ça me dit quelque chose. Voilà, une vingtaine de ça.

— On ne les a pas comme ça, fit observer Paul.

— On peut rêver, dit Pons, par exemple il me faudrait aussi quelqu'un, une espèce d'instructeur. Pour leur apprendre à s'en servir, tu ne vois personne ? Tu verrais comme c'est joli là-bas, surtout en ce moment. C'est tout vert.

Comme Paul, immobilement, regardait le duc sans répondre, celui-ci préféra ne pas développer ce point tout de suite, on aurait tout le temps d'y revenir.

— Bon, dit enfin son neveu, je vais voir. Bien sûr je

ne te promets rien. Même ça m'étonnerait, mais je vais voir.

Pons hocha. Une frayeur traversa Paul.

– Où est-ce que tu dors ? s'inquiéta-t-il avec sincérité, je veux dire, tu habites quelque part ?

Pons griffonna des chiffres dans la marge d'un journal. A partir de demain, précisa-t-il, d'ici là j'ai tout mon temps. Il déchira le bout de papier qu'il tendit, tendant son verre vidé dans son autre main. Paul versa de l'alcool dans le verre puis inscrivit l'adresse de Bob, à toutes fins utiles, sur un autre bout de journal arraché. Voilà que Pons voulait à présent se lever de son fauteuil et c'était difficile, mais il s'extirpait enfin de la ventouse puis marchait en crabe vers la baie vitrée, appuyait sa main grande ouverte et regardait l'extérieur qui n'avait pas vraiment changé somme toute, toujours pas tellement changé. Son verre pendait oblique au bout d'un bras.

16

C'était encore Justine dans sa chambre grise. Dehors, les nuages blancs filtraient le jour suivant – froide lumière de néon scialytique, posée sur toute chose équitablement. Des cris d'enfants récréés montaient d'une cour proche, des pigeons bondissaient tels des sauterelles obèses, impavides parmi les corniches, les barres d'appui, les toits.

Justine entassait dans un sac quelques affaires pour trois jours d'absence. Elle n'était pas à ce qu'elle faisait, s'éparpillait dans des chapelets de petites actions annexes qui la détournaient sans cesse du sac profond. Feuilletant un livre avant de le ranger, elle découvrait entre ses pages une photo, coinçait la photo sous le cadre du miroir dans lequel elle se jugeait un instant, changeait de sweat-shirt en conclusion de cet examen, allumait une Gitane, l'écrasait aussitôt, puis une Benson qui se consumerait seule au bord d'un meuble. Elle traversa l'appartement, revint de la cuisine avec du jus d'orange dans une très grosse bouteille. Elle buvait avec précaution, à même le très gros goulot, une main dans ses cheveux comme pour soutenir sa nuque, son épaule appuyée à la porte de l'atelier : Laure travaillait dans une tempête d'étoffes, de patrons amoncelés qui déferlaient au pied de la machine à coudre.

– Je serai là mardi, rappela Justine, mardi soir. Tu en veux ?

– Et le type ? fit Laure en prenant la bouteille.

– Le type.

– Celui qui téléphone. Qu'est-ce que je dis ?

– Tu ne sais pas quand je reviens, tu ne lui dis pas mon nom. Appelle-moi chez ma mère s'il insiste trop, mais ne lui donne pas le numéro. Je n'ai pas tellement envie d'y aller, chez ma mère.

Mais j'y vais : une heure plus tard, ayant roulé à vive allure sur l'autoroute du Nord, Justine rejoignait la maison de Chantilly. Des éclats de voix provenaient du salon vert, où Pons brossait pour Nicole quelques tableaux de la vie malaise, ses fémurs croisés vers la cheminée dont Boris venait de faire le plein. Il cessa de parler à l'entrée de la jeune femme, l'inventoria d'un regard trouble et voulut se lever.

– C'est Jeff, c'est Jean-François, dit Nicole à sa fille avant de marcher vers la porte pour instruire Boris – par l'embrasure on voyait l'homme de peine qui s'élevait vers l'étage en diagonale décousue, traînant après lui le sac profond.

– J'ai vu, dit Justine, une photo de vous. Je me souviens.

– L'usure, invoqua Pons coquet, je suis méconnaissable. Les tropiques font vieillir.

Nicole revint puis Boris reparut, signalant que pour manger c'était quand on voulait. Justine sortit la première du salon. Belle fille, souffla Pons, elle tient de toi. C'est tout toi.

A table il se montra jovial, assez insoucieux des affaires qui motivaient son voyage et dont il semblait quelque peu perdre de vue l'objet. Boris faisait le service, compromettant au-dessus des têtes l'avenir des saucières, évitant le malheur par miracles. Qu'est-ce que c'est que ce type, s'enquit Pons entre mâche et daube, il est malade ?

– Un ami de Charles, dit Nicole. Il vivait comme Charles, tu sais (Pons leva l'œil au ciel), il en a eu assez. Tu as vu qu'il ne tient pas bien droit ? Il cherchait quelque chose. Une réinsertion, si tu veux. Il est calme, il est propre, il s'entend bien avec madame Bœuf.

– Ah, fit Pons. Et Charles, au fait ?

Nicole eut un regard vers Justine avant de ne pas répondre.

– Il faut que je te dise. J'ai parlé de toi, tu sais. Ceux du Perfect, tu te souviens, il y en a que je revois de temps en temps.

– Je ne te comprends pas, grogna Pons.

– Si tu as besoin qu'on t'aide, fit-elle. Alors je me suis dit, je leur ai demandé.

Le duc fit venir son sourire froid d'aventurier, lointainement amer, dont trop peu d'occasions d'user se présentaient.

– Ils se sont défilés, supposa-t-il avec justesse. Mais je n'ai besoin de personne, pas besoin d'eux.

– Je dois dire qu'à part Charles, hésita Nicole.

– J'aimais Charles et je le craignais, poursuivit Pons sur le même ton, mais cette vie de rat. Je ne vois pas qu'il puisse beaucoup m'aider.

– Bon, fit Nicole sans oser parler plus.

– Tu n'as pas dit trop de choses, évidemment. Cette histoire, quand même, si ça s'ébruite on aura des ennuis. J'aurais des ennuis, moi, là-bas. Il faudra que j'appelle, d'ailleurs, savoir un peu ce qui se passe en mon absence.

– J'aimerais mieux, dit Nicole, que tu appelles de la poste. Le prix de l'unité, je ne sais pas si tu vois.

– Je vois, s'assombrit Pons, bon. Mais je m'arrangerai tout seul. J'ai pris des contacts à Paris, de bons contacts. De très bons contacts et tout va très bien se passer.

Un moment oubliée, cette perspective mit du lest

dans ses mouvements, dans son raisonnement. Ce rappel au réel le fit se taire et poser son couteau sur le bord de l'assiette, prendre son verre sans le porter à ses lèvres, regarder par la fenêtre : adoucis par les voilages, les arbres griffaient la lumière de leurs ongles émondés. Le silence parut avec ses habitants, dialogue d'aboiements sourds, klaxon musical sur la route, jeu des 1 000 francs dans la cuisine où chaque jour, face aux questions bleues et rouges, l'encyclopédique Boris ne laissait pas de surprendre madame Bœuf, trio de passereaux dans les hauteurs, solo de motoculteur au loin, sonnerie du téléphone au salon. Justine se leva.

– Bien sûr, dit Nicole, que ça va bien se passer.

Justine traverse l'entrée puis le salon vert, décroche : allô, dit-elle. Allô, se hasarde une voix d'homme que Justine reconnaît aussitôt. C'est encore vous, fait-elle assez fraîchement, à l'entendre on ne devinerait pas qu'elle sourit. Silence bref, puis la voix dit pardon, je crois que c'est une erreur, autre silence puis on raccroche.

A l'autre bout du fil coupé, Paul J. Bergman ne sourit pas. Lui n'a pas reconnu Justine, ne se souvient pas assez d'elle sauf les yeux ; l'accueil hostile d'une inconnue ne lui remonte à présent pas le moral. Fâché, Paul relit les chiffres griffonnés sur le morceau de journal par Pons, qui se sera trompé – ravages de l'alcool sur la mémoire, dès un certain âge. Par acquis de conscience, Paul les compose encore sur le cadran, plus lentement : cette fois c'est occupé.

– Non, répond en effet Laure à Justine, il n'a pas appelé. Je n'aurais pas donné le numéro, de toute façon. Tu as confondu, ça ne peut pas être lui.

Lui, rappelle cinq minutes après. Ce n'est plus occupé. Cela décroche aussitôt, la même voix féminine dit allô, moins assurée, on ne sent toujours aucun sourire à l'intérieur.

– Pourrais-je parler à Jean-François, dit rapidement Paul plein d'urbanité, comme si de rien n'avait été. S'il est là.

Nouveau silence bref, Justine fait venir un petit peu de sa lèvre entre ses dents. Ne quittez pas, dit-elle avant de poser doucement le combiné sur la tablette en cuir du secrétaire, revenant à contrecœur vers la salle à manger. C'est pour vous, dit-elle à Pons qui se dresse promptement, arrache la serviette endormie sur ses genoux, file au salon d'un pas martial. Justine reprend sa place, regarde sa mère. Ses contacts, dit-elle, qu'est-ce que c'est ? Il a dit, tu sais, qu'il avait des contacts, il t'en a parlé ? Mais Nicole ronge une miette en rêvant : contacts, réagit-elle enfin, quels contacts.

Cependant qu'à son tour il traversait l'entrée, le duc se ressaisit. Depuis quelques heures qu'il se trouvait à Chantilly, l'urgence de sa mission risquait de s'être émoussée dans la tiède compagnie de Nicole, compagnie ronde et molle comme un pouf dans lequel on aurait oublié, quand même, quelques épingles. Cet appel opportun l'extirpait de la réplétion, de cette torpeur de serre menaçant d'enliser sa conscience. Le téléphone rétablissait d'un trait la prise sur le monde de sa virilité, il fonça sur lui tout en respirant fort, le dos droit. Il retrouvait ses forces.

– C'est toi, petit ?

– Je voulais te dire que je vais voir un type.

– Quel genre, fit Pons, quel genre de type ?

– Je l'ai appelé hier soir, il aurait peut-être quelque chose pour toi, il faut voir. Je vais voir. C'était juste pour te dire.

– Parfait, dit Pons, continue de me tenir au courant.

Il y a ici (il baissa la voix), là où je suis, une petite magnifique, j'aimerais que tu la voies.

— Ah bon, fit Paul. Celle qui répond au téléphone ?

— Mh, suggéra Pons. Je te la présenterai si tu veux.

— Oui, dit Paul, bon. Elle m'a paru un peu bizarre.

— Paul, comment ça se passe avec les filles, voulut approfondir soudain le duc, est-ce que tu en vois souvent ? Est-ce que tu en vois assez ? Je te dis ça parce que. (Seul au sommet de sa tour, Paul J. Bergman poussa un rire sans joie.) Il m'a semblé que tu.

— Est-ce que tu t'es bien remis du voyage, demanda Paul, est-ce que tu te reposes comme il faut.

— J'étais fatigué ce matin, se souvint le duc en posant une main sur son front, mais je crois que ça va tout à fait bien maintenant.

— Repose-toi bien comme il faut, dit Paul.

17

C'était sans plaisir que Paul avait rappelé Tomaso, sans plaisir qu'il se rendit chez lui. C'était au milieu du Kremlin-Bicêtre, dans une artère commerçante assez fiévreuse en fin d'après-midi, nettement tachycardique le dimanche où se pressaient dehors, sous leurs abris toilés, d'itinérants marchands de neuf et d'ancien. A mi-chemin, Tomaso tenait là une boutique d'électroménager soldé, machines récentes mais toujours affligées d'un défaut qu'une cherté moindre espérait faire absoudre – congélateurs mal jointifs, convecteurs et grille-pain survoltés, téléviseurs bosselés aux labels déroutants, accessoires tels que téléphones de fantaisie (non homologués), services à thé taïwanais (amputés d'un de leurs membres) ou paires de ronds de serviettes en inox (Toi et Moi gravés dedans). Tomaso, qui négociait tout cela, était un homme bref, un faux maigre ficelé dans de la blouse grise. Mordant sur ses gros sourcils, un béret d'une excessive largeur battait au-dessus de ses oreilles translucides, posé sur son crâne comme un rapace près de s'envoler, de ravir le soldeur à l'ancestral plancher.

Paul gara sa voiture devant la boutique vide. Ce vide seyait à Tomaso, qui n'encourageait pas ses voisins à lui acheter des appareils dont ils pourraient vouloir venir se plaindre ensuite ; et les autres n'ayant nulle raison de s'adresser à lui, son chiffre d'affaires n'existait qu'à l'état de notion. Les vraies affaires, celles d'où Tomaso tirait ses gros revenus inodores au fisc, se traitaient d'une voix sourde avec des hommes bien mis, parmi les cuisinières et les séchoirs déchus. Humbles, drapant leur gêne sous l'étiquette barrée, ces machines déclassées assistaient aux enchères de leurs consœurs plus rares, plus précises et plus meurtrières, beaucoup mieux entretenues, beaucoup trop bien pour elles.

Pour en arriver là, compte non tenu d'une disposition naturelle, Tomaso avait juste rencontré l'homme qu'il fallait quand il fallut, l'homme qui lui fit rencontrer des grossistes et profiter de la valise diplomatique, d'abord. Ensuite les choses avaient marché toutes seules : sous sa discrète couverture électroménagère, Tomaso n'avait cessé de bénéficier du trafic d'armements, même après la mort violente de l'homme qu'il avait fallu. Dans ce domaine, la routine consistait à nourrir le circuit parallèle d'amateurs, mais il lui arrivait aussi de tenir un rôle intermédiaire dans de gros marchés ouverts sur l'étranger concernant des bazookas P 27, des mortiers M 52 et des canons M 59 A, des fusées AGL, des missiles Super 530, des mines magnétiques M 1, des mines magnétiques M 2, même un jour un char AMX. Tomaso mettait une partie de son argent dans la pierre après l'avoir lavé, le changeant en maisons qu'il ne louait ni ne prêtait, qu'il visitait de temps en temps. Cet argent s'amassait, se laissant quelquefois jouer par grosses sommes aux courses, mais par exemple Tomaso n'aurait jamais acheté un cheval. Cet argent était à la disposition raisonnée de sa femme, servant aussi à l'entretien complet de leur fils Gérard, brave garçon totalement improductif au bout de trente-neuf ans. Cet argent se dissolvait dans de longues cures thermales pour eux trois. Cet argent, Tomaso n'avait pas le sentiment d'en jouir comme il l'aurait rêvé : trop vieux lors de sa rencontre avec l'homme qu'il fallait, trop ancré dans un mode de vie de soldeur, il n'avait pas su se défaire de son réseau d'habitudes, le remplacer par un réseau plus suave. Donc cet argent s'accumulait, principalement en Suisse, avec un fonds de roulement pour la vie quotidienne.

Quotidiennement il mettait un peu d'ordre, dépoussiérait sa marchandise blessée quand Paul poussa la porte, actionnant deux grelots séparés par une quinte diminuée.

– Monsieur Bergman, se réjouit Tomaso. Comment ça va, quoi de neuf.

Paul répondit comme convenu – pas mal, pas plus –, retourna ces questions sans chaleur puis s'expliqua sur ce qui l'amenait. Il eut l'impression de jouer un rôle, sans grosse envie de le tenir, pendant qu'il exposait le problème concret de Pons, évoquait des solutions possibles. Citant Kalashnikov, il voulut savoir ce que l'autre pensait d'une telle prescription. La tête du soldeur pencha sur un côté, tout le béret se déportant dans le mouvement.

– Oui. Pour ce style d'opération, préconisa-t-il, je verrais quelque chose de plus souple. Réduire les pièces trop lourdes, n'est-ce pas, compenser par de l'arme de poing. Naturellement du bon calibre, question de proportion.

– Possible, dit Paul, faites comme vous jugez bon.

– Oui, poursuivit Tomaso, j'ai eu quelqu'un l'année passée, c'était un peu le même problème. C'est ce que je lui ai conseillé, il s'en est trouvé bien. De toute façon je n'ai pas ce modèle que vous dites, là, mais j'ai du Herstal en ce moment. Le calibre est pratique, c'est performant. C'est belge, c'est très sérieux. Ça plaît.

– Faites au mieux, répéta Paul. Ce serait bien pour la semaine prochaine. Si vous avez du stock en ce moment, je peux vous envoyer du monde. Il y a Van Os qui cherche terriblement.

– J'aime autant pas, dit Tomaso. Monsieur Van Os, j'aime mieux ne pas faire mes affaires avec lui. J'ai les vieux habitués, des gens sérieux, c'est calme, on sait se tenir. Enfin je ne dis pas ça pour vos amis. Vous, je le fais pour vous, monsieur Bergman, je le fais parce que c'est vous.

– C'est gentil, manifesta Paul. La petite radio, là, elle fait combien ?

– Je ne vous conseille pas, grimaça le soldeur, je vous en ferais bien cadeau mais ce n'est pas un cadeau. Ce qui est ici, vous savez (il eut un geste en forme de toc). Par contre, si vous cherchez du bon matériel dans le genre, j'ai un collègue, je vais vous mettre l'adresse sur un papier.

Après le départ de Paul, Tomaso sortit de sa boutique sans verrouiller la porte. Un café se tenait à cent mètres : au bar il se permit un marc pour fêter la nouvelle commande, au sous-sol il descendit téléphoner pour l'honorer. C'était le premier creux de l'après-midi, succédant au départ vers les bureaux, les ateliers. Un homme seul près de la caisse enregistreuse consultait *Nice-Matin* qu'un vieillard de western parcourait également par-dessus son épaule, mâchouillant un tuyau de pipe entre ses molaires brunes, crachotant par sa canine absente. Coupé du monde par un paravent de verre granuleux, un assez disgracieux couple hétérosexuel se considérait sans émettre un seul mot, donnant les signes d'un humble et parfait contentement – l'un d'eux bougeait un peu sa tête, de temps en temps, pour changer d'angle. Tomaso revint se poster au comptoir, vis-à-vis du barman courbé vers le bac de rinçage. C'était un pâle barman aux cheveux fins, aux lunettes inquiètes, aux manches relevées, porteur d'une chevalière en or à initiales, d'une gourmette en or incrustée de son prénom (Jean-Claude) et d'une montre en plaqué professionnellement étanche.

– Je vous ai parlé de celle qui a le chien ? se demanda-t-il.

– Oui, fit Tomaso d'une voix sceptique.

– On m'en a parlé d'une autre encore plus dégueulasse.

– Un chien, aussi ?

– Vous n'imaginez pas ce qu'elle fait, supposa le barman avec amertume. Mais je peux vous dire.

– Non non, dit Tomaso.

– Il y en a une le mercredi, tous les mercredis. Elle reste une heure pile et vous savez ce qu'elle fait ? Son quart Vittel, et puis elle regarde les types, elle n'arrête pas de regarder les types, c'est tout ce qu'elle fait.

– Incroyable, reconnut Tomaso. Elle te regarde, toi ?

– Je suis le barman, rappela le barman elliptiquement.

Tomaso vida son marc d'un trait, souffla bruyamment depuis le fond de sa gorge puis il sortit. Dans la rue, la proportion du peuple et sa composition correspondaient à celles du bar : peu de monde ni de bruit, deux voitures passèrent calmement, puis un jeune homme strident sur une mobylette, son casque rouge déchirant l'air maussade, Tomaso était calme dans son cœur. Merde, songea-t-il, et cela se mit à battre un peu plus vite lorsque réintégrant la boutique il reconnut un homme de dos, entré en son absence, penché sur un présentoir du côté du petit matériel, vêtu d'un manteau vaste dont les pans ondulaient au moindre geste comme un dais. Au revers de ce dos était la poitrine creuse de Toon, derrière l'occipital rasé ses yeux anxieux mangeaient un lot de calculatrices

117

de poche. L'une après l'autre Toon les manipulait, tentait de les affoler par des opérations perverses façon racine de moins un. Le jeune Brabançon faisait évidemment de son mieux pour détraquer les petits circuits, jubilant avec méthode comme lorsqu'il arrachait, enfant, la patte et puis l'aile d'un insecte. Tomaso voulut recouvrer son calme : il ne se pouvait pas que Toon eût surpris sa conversation avec Paul. Il toussota.

– Monsieur Toon, fit-il, comment ça va. Quoi de neuf.

L'autre tourna la tête sans répondre. Quoi de neuf, dit-il à son tour, troussant ses lèvres blanches sur une ligne brisée d'émail jaune.

– Comme vous voyez.

– Je me fous de ce que je vois, dit Toon, je n'y crois pas. Toujours rien ?

– Hélas, gémit Tomaso, c'est devenu très dur. Pour ainsi dire il n'y a plus de rotation. Toujours pareil, n'est-ce pas, la demande excède l'offre et les prix montent. Ça décourage le monde, ça bloque.

– Ça va, dit Toon, ça va. Vous les faites à combien, vos petites calculatrices, là ?

– Choisissez-en une, sourit Tomaso. Cadeau de la maison.

A deux rues de là, Van Os patientait dans le 4 × 4 en écoutant son programme favori sur ondes courtes. Véhicule 133, grésillait une mâle voix, quelle est votre position. Assise, clamait un chœur hilare, amplifié par les parois de métal de la bétaillère. Van Os ne sourit pas, trop habitué aux rites récréatifs des forces de l'ordre. Toon portant deux coups d'ongle sur la vitre, Van Os débloqua la portière. Alors ?

– Rien, dit Toon. Je n'arrive pas à comprendre s'il n'a vraiment rien ou s'il se fout de nous.

– Normal, tu es idiot. Ton crâne est creux.

– Allez-y vous-même, protesta Toon, vous verrez bien.

– Je ne peux pas, se rembrunit Van Os, je sais qu'il ne m'aime pas. Il a peur de moi. Il a tort.

– Quand même, objecta Toon, il vous louait la maison de Craponne, l'été dernier (on était bien dans cette maison), il n'avait pas fait d'histoires pour louer. Il ne loue jamais, d'habitude.

– Oui, dit Van Os, justement. C'est parce qu'il a peur de moi.

Ils empruntèrent le périphérique intérieur jusqu'à la porte de Sèvres, et de là direct via Balard vers Javel. Envoyez Plankaert, alors, continuait de protester Toon, vous verrez bien. Van Os raffermit ses lunettes sur son nez : il est malade, Plankaert, tu le sais qu'il est malade. Il y avait un peu de monde sur les quais, pour cause d'hydroglisseurs sur l'eau du fleuve. Leurs couleurs vives étouffées sous les publicités, les hydroglisseurs poussaient des arcs d'écume beige autour de deux bouées ; les gens regardaient. Toon aurait bien voulu regarder. Mais Van Os lui fit signe d'aller devant, comme ils se dirigeaient vers la tour de Paul.

Tout en haut de l'immeuble, Paul se changeait les idées en regardant les hydroglisseurs lorsqu'on sonna chez lui : sans doute Pons, déjà, qui accourait aux nouvelles. Il sortit une bouteille préventive qu'il posa sur la table basse avant d'aller ouvrir : Van Os. Une seconde de suspens. Van Os entra, suivi de Toon qui évitait le regard de Paul.

– Vous buvez seul, Bergman ? s'inquiéta Van Os en désignant la bouteille. C'est que ça n'est pas bon, ça, hein.

– J'attendais quelqu'un, précisa Paul.

119

– On vous dérange, bien sûr. (A son tour Paul désigna, interrogativement, l'alcool.) Non, merci, si vous aviez par contre un peu de café.

– La machine est cassée, dit Paul. C'est entartré, ça ne marche plus. Le calcaire.

– Tant pis, dit Van Os. De toute façon je n'aime pas trop ça, le café en machine, c'est meilleur dans les cafetières d'avant. Vous devriez. Vous avez la Cona, par exemple, qui n'est pas mal. Evidemment c'est un peu fragile. J'aime mieux la bonne vieille italienne, vous savez, celle qu'on dévisse par le milieu, vous en avez de petites individuelles qui sont très bien. Je m'assieds un moment, on ne va pas tarder.

Paul s'assit après lui. Toon resta debout, d'abord derrière son chef comme il convenait à son état, puis il recula en direction de la fenêtre, dans une progression à peine sensible vers les hydroglisseurs. Paul cherchait une réplique aux cafetières.

– Alors, trouva-t-il, ça c'est bien terminé l'autre jour, à Vanves ?

La main de Van Os voleta près de sa tempe, chassant l'échauffourée de l'histoire universelle :

– Ce n'était rien, peu de chose. Des types, je ne travaille pas avec, des connaissances. Mais on s'aide un peu, vous savez ce que c'est, on se donne des coups de main.

Il ôta ses lunettes, posa son haleine dessus puis les nettoya minutieusement sans les regarder, ses yeux plissés vers la reproduction d'une peinture sur le mur, intitulée *Sept heures du matin* : au coin d'une rue vide, derrière la vitrine presque vide d'un magasin fermé, une pendule au milieu du tableau marque en effet sept heures. C'est principalement bleu clair, vert clair, blanc. Des frondaisons plus vertes frissonnent à gauche sous un

120

triangle de ciel beaucoup plus bleu. C'est joli, dit Van Os. Vous avez repensé à ce que je vous ai dit ?

— Non, fit Paul, c'est-à-dire oui, je veux dire qu'il n'y a rien, décidément rien. On ne trouve pas, en ce moment.

— C'est vrai qu'on ne trouve pas grand-chose, c'est assez préoccupant. Vous n'êtes pas le seul à qui je demande.

— Je m'en doute bien.

— Personne n'a rien. Dufrein n'a rien, Omar n'a rien, Labrouty n'a rien. Vous me direz d'essayer avec Chonnebrolles, mais pas moyen de lui mettre la main dessus, Chonnebrolles. Personne ne sait où il est. Tomaso, rien non plus. Vous connaissez Tomaso ?

— Je ne vois pas bien, déglutit Paul. Les autres non plus, d'ailleurs. Sauf Chonnebrolles, naturellement, mais seulement de réputation.

— Je suis ennuyé, dit Van Os, je suis très ennuyé. J'ai tellement besoin de matériel en ce moment. J'ai du trop petit calibre, on ne fait rien avec ça. Vous ne me racontez pas d'histoires, au moins ?

Paul remua la tête.

— Ça me ferait de la peine si c'était des histoires, poursuivit l'autre en regardant ses mains d'un air peiné, je le prendrais mal. On a toujours eu, vous et moi, des rapports très confiants, ça me ferait du mal. J'aurais du mal.

Paul remuait sa tête dans l'autre sens, perpendiculairement, lorsque Toon s'exclama : l'un des hydroglisseurs venait de verser, son pilote pataugeait à présent sous son casque, dans l'eau riche en virus. Holà le type, laissa échapper Toon. Van Os sourit avec attendrissement en désignant du pouce son homme de main. C'est un enfant, dit-il doucement, c'est impulsif, ça n'a pas sa conscience. Comme il dépliait son squelette, Paul se leva après lui. Toon se détachait à regret de la fenêtre.

– Au plaisir, dit Van Os, prévenez-moi. Promettez-moi de me prévenir. Je repasserai, de toute façon.

Ils sortent, accompagnons-les jusqu'à leur véhicule : j'en ai assez de ce type, exprime Toon, j'en ai assez de le suivre, moi. La fille de l'autre jour, par contre, je ne l'ai plus vue. Il m'avait l'air bien accroché, pourtant.

– Bon, dit Van Os, tu continues à le suivre. Et tâche de surveiller cette fille aussi.

– Non mais, s'indigne Toon, vous vous représentez le travail ?

Leur véhicule démarre, laissons-les s'en aller. Revenons chez Paul qui a refermé sans bruit la porte sur eux, rapporté la bouteille à sa place dans le placard, qui se tient près du placard un moment, immobile, sans une pensée pour les hydroglisseurs. Quand le téléphone recommence à sonner, Paul reste près du placard. Il laisse sonner, cela va se décourager. Cela surenchérit au contraire, les sonneries acides rayent l'espace avant qu'il se décide. L'appareil suspendu à deux doigts, suivi de son fil, Paul décroche en prenant le chemin de la fenêtre. Ce doit être Bob. Je savais que c'était toi, s'apprête à dire Paul, devine qui sort d'ici.

Mais non, c'est Justine qui ne dit toujours pas son nom, cette fois Paul a tout de suite reconnu sa voix. C'est inattendu. Elle veut le rencontrer, voilà qui est très inattendu. Elle propose une date, une heure, un bar-tabac. Oui, dit Paul, je vais venir. Bien sûr. Je vais venir de tout mon cœur.

18

Innombrables, étonnamment variées sont les sonneries téléphoniques de par le monde. Pour s'en convaincre il n'est pas nécessaire de sortir de chez soi, il suffit d'appeler l'étranger. Tout de suite se succèdent quelques tonalités. Quand on appelle au-delà des mers, on perçoit même un instant le bruissement de tel ou tel océan, aussi calme qu'une bête bourrée d'arrière-pensées. Puis cela vibre plus ou moins au loin, on perçoit le reflet d'une sonnerie déteint par la distance, pâle comme la photocopie d'une photocopie : c'est assez pour se faire une idée, assez pour s'assurer que selon les climats sous lesquels il dérange, le téléphone sonne sur divers tons, selon multiples rythmes. A l'opposé, par exemple, de nos longues stridences vertes, les appareils anglais procèdent par séries binaires de brefs bourdons bruns, les finnois crépitent sans nuance dans le pourpre et les malais distillent d'interminables grelottis blanchâtres, invertébrés, presque transparents.

Depuis l'autre bout du globe, leur écho s'insinuait dans l'oreille de Pons qui, profitant d'une absence de Nicole, tentait de joindre l'aîné des frères Aw. L'entreprise était intrépide, vu la surveillance exercée là-bas par Jouvin, ici même par Boris – Pons, d'abord, s'était assuré que celui-ci s'activait au jardin. Deux lignes raccordaient la plantation au réseau téléphonique mondial ; l'une aboutissant à la villa Jouvin, le duc avait composé le numéro de l'autre qui grelottait donc sur le bureau du petit local comptable jouxtant l'usine. On devait y approcher minuit. Surveillant du coin de l'œil son épouse effondrée sous un ventilateur, Raymond Jouvin devait passer en revue les traits marqués le matin même sur les litres. Pons espérait tomber sur le veilleur de nuit, excellent Temoq acquis à la cause des frères Aw et tout dévoué à sa personne.

Au bout de cinq à six grelots survint un décrochement sensible suivi d'un cliquetis d'ondes pointues, d'un silence en brève suspension puis d'un imposant back-ground, niagaresque, enserrant une interrogation presque inaudible lancée de très loin, comme de l'autre côté de la chute d'eau. Ayant identifié le traînant accent temoq, le duc cria quelques mots pour se faire reconnaître. Il dut les crier plusieurs fois mais la joie du veilleur était ensuite extrême, volubile, Pons dut vociférer pour l'interrompre en couvrant l'appareil de sa main en conque, jetant des regards inquiets vers la porte et les fenêtres. Il fallut faire comprendre ensuite qu'il désirait parler à Aw l'aîné. Bien sûr que je vais voir, dit enfin le Temoq, je vais voir s'il est là. A tant de milliers de kilomètres, Pons perçut le choc du combiné posé sur le bureau, puis le silence comblé par cette clameur de cataracte. Tout cela prenait plus de temps que prévu, risquait même de s'éterniser s'il fallait réveiller Aw Sam. Transportant, comme son neveu, le téléphone, le duc marcha jusqu'à la fenêtre, inspecta le jardin : Boris n'était plus visible au milieu de la verdure sur laquelle de petits nuages véloces, jouant à la balle avec l'astre, faisaient courir des taches ternes en accéléré.

Cependant le veilleur poussait la porte à claire-voie, tendue d'une moustiquaire pointillée d'infimes chiures, puis il s'engageait dans la nuit rousse. Deux cents mètres carrés de friche piétinée séparaient la comptabilité des baraquements alloués aux ruraux. Comme y détalait un tapir solitaire, le veilleur eut un mouvement de recul au passage de l'animal sacré, chacun sachant que le contact de sa chair vous refile une bonne lèpre incontinent. Ecroulés sur leurs nattes, les ouvriers agricoles sommeillaient pour la plupart. Parmi le contingent d'insomniaques, trois faisaient vrombir de grosses toupies d'acier ; trois autres, adossés côte à côte à la paroi du dortoir, fumaient en se passant des photographies de femmes dotées de gros derrières et de très gros seins. Accroupi près de la fenêtre au fond du bâtiment, une assiette de porridge à ses pieds, Aw Sam relisait le rapport de Lénine au IIᵉ Congrès des Syndicats de Russie (20 janvier 1919), dans sa traduction malaise publiée aux Editions de Pékin. Il leva les yeux au-dessus de ses lunettes vers le veilleur qui se penchait en balançant une lanterne à bout de bras. Duc, duc Pons, s'égosillait doucement le veilleur en jetant son pouce par-dessus son épaule, dépliant ensuite son auriculaire pour symboliser le téléphone. Sam bondit sur ses pieds cornés, courut vers la porte.

Le veilleur s'attarda quelques minutes auprès des toupilleurs puis il ressortit de la baraque, restant un peu sur le seuil dans l'air tiède, aimant que tout fût ainsi calme. Des crapauds et des grenouilles volantes jetaient leurs âpres injonctions du côté de l'étang, soutenus par un tutti de scarabées-violons. Un stock de moustiques vibrionnait à hauteur d'arbre, troué par les engoulevents en position de chasse, leur bec grand ouvert happant au passage des familles nombreuses d'insectes suspendus. De l'autre côté de la cour délimitée par l'usine basse, le veilleur pouvait apercevoir Aw Sam voûté sur l'appareil téléphonique, cadré jaune sur obscur par la fenêtre de la comptabilité.

L'autre bout du fil n'étant pas assez long pour que Pons pût transporter le téléphone jusqu'à la porte du salon, il avait dû le lâcher un instant pour aller ouvrir, vérifier l'absence d'oreille ou d'œil vissés au trou de la serrure. Le couloir était désert. Il revint en courant vers le secrétaire, saisit le combiné dans lequel s'inquiétait d'une voix mal assurée l'aîné des Aw. Tout cela prenait un temps fou, Pons commençait d'être en sueur.

Il exposa la situation : tout se passait comme prévu, les armes lui seraient sûrement livrées tantôt, il confirmerait dans la semaine la date de son retour. L'aîné acquiesçait à tout cela par d'insonores hochements. Il convenait, spécifia le duc, d'intensifier la préparation des hommes, tout allait se passer vite à présent. Ils raccrochèrent en synchronie.

Le couloir était toujours vide. Remonté dans sa chambre, Pons chercha en vain le repos sur son lit. Il se trouvait excité, fort d'un trop-plein d'élans inassouvis, transpercé d'aiguilles nerveuses que le silence alentour acérait plus vivement. Il se releva, se changea pour sortir par gestes brusques, désordonnés, faisant souffrir les coutures des vêtements. Au bas de l'escalier, il appela Boris qui surgit aussitôt, d'un point indéfini de la cantonade. Pons le considéra soupçonneusement.

– Je vais à Paris, dit-il, je dois me rendre à Paris. Vous pouvez me mener à la gare ?

Un peu plus tard, un train partait dans un quart d'heure ; une heure plus tard, Pons héla un taxi devant la gare du Nord. Cette fois le chauffeur était un homme fragile, à l'évidence torturé, son visage défait reflétait l'emprise de malheureuses pensées sur son esprit, de pensées haineuses dans le chauffage à fond. Silence dans le véhicule, qui rageusement défia l'orange au coin du boulevard Poissonnière. Étuvant sur la banquette, le duc baissa un peu la vitre de son côté, ça ne vous dérange pas ? Sans répondre, le chauffeur vira sec au bout du pont de Grenelle sur le quai André-Citroën, puis il freinait avec violence au pied de la tour à parements jaunes. Pons lui tendit sa monnaie prudemment, comme au gibbon l'arachide, l'autre lui griffa la paume en se l'appropriant. Peu après le duc piétinait devant la porte de Paul, sonnait en vain.

Paul n'était pas là puisque Justine voulait bien le voir, fixant le cadre du rendez-vous non loin de chez elle. Naturellement très en avance, Paul descendait à pied le Faubourg-Saint-Antoine entre les vitrines bourrées de meubles en tous styles. Il fit une brève halte à la hauteur du 53, d'où le génie de la Bastille n'a plus l'air juché sur sa colonne que les immeubles dissimulent entièrement : il semble marcher sur leurs toits, danser sur leurs tuiles, sur leur zinc, exhibant dans sa fuite ses fesses rondes sous ses ailes déployées. Tout le monde sait cela, les gens s'arrêtent souvent devant le 53.

Elle avait accepté qu'on prît le thé dans un tabac qui est sur la place. Paul entra, le décor en était formidablement impersonnel. Il s'assit sans ôter son manteau, regarda le monde en marche de l'autre côté de la vitre : une nette minorité paraissait triomphante ou seulement satisfaite, quelques-uns riaient nerveusement, d'aucuns se tenaient le front. Après avoir suivi Paul depuis le quai André-Citroën, Toon l'invisible s'était installé derrière son quotidien habituel, dans un box libre à l'autre bout de l'établissement. L'œil étréci du jeune sujet belge s'arrondit lorsque Justine parut ; Paul s'était à moitié levé, hésitant entre sourire ou pas.

Comme c'est leur premier véritable entretien, c'est exploratoire surtout : effleurant maint sujet sans le développer loin, ils procèdent à un tour d'horizon pointilliste, par références principalement – il aime mieux Matisse, elle préfère Lermontov, tous deux connaissent Ahmad Jamal. Tuant les beaux-arts sous eux, ils passent à la géographie – l'étranger, le bord de la mer – puis à l'histoire avec l'enfance, des origines au monde moderne avec les gens que l'on connaît, à peine ou juste comme ça, certains leur sont communs. On observe que Paul parle plus. Quoique sans aucune allusion à Elizabeth enfuie, il se livre davantage, sans même plus oser demander à Justine son prénom. Elle, écoute attentivement sa voix : c'est bien le sosie de celle de l'autre jour au téléphone, réellement c'est à s'y méprendre. Serait-elle juste venue pour vérifier cette coïncidence, puisqu'elle se lève bientôt. Les yeux de Toon reparaissent par-dessus les gros titres. Justine regarde Paul, sourit sans lui tendre une main. Je vais vous revoir, suggère-t-il, adjure-t-il. Hélas elle est très occupée en ce moment, le travail, les salons, mais on se rappellera sûrement. Bientôt. Elle disparaît, il regarde son verre. C'était bref.

C'était à peine plus long, dans le même temps, que la traversée de Paris par le duc Pons : une quinzaine de stations séparent les places Balard et de la République, par la ligne 8 qui est en violet foncé sur les plans officiels. Pons avait encore frais à la tête en retrouvant l'air libre du Faubourg-du-Temple, sans cesse il passait sa main luisante dans ses cheveux, la dégraissait sur son vêtement tout en montant la rue marchande pentue. En haut à droite, il vérifia l'adresse cherchée au fond de sa poche, sonna. N'entendant rien, frappa. On ouvrit. On semblait circonspect.

– Je suis Jeff, déclara le duc, vous devez être Bob. Paul m'a dit qu'il vous a parlé de moi.

Bob dit en effet, demeurant sur ses gardes. Peu après, adossé à la porte, il considérait ce nouveau personnage en train de tourner dans le studio encombré. C'est un peu comme chez moi, disait Pons, on sent que c'est habité. L'ennui, chez Paul, c'est que c'est vide. Tout y est, n'est-ce pas, mais ça fait vide. Il fit le tour des images sur les murs, soupesa quelques objets. Je viens aux nouvelles (je peux m'asseoir ?), vous devez être au courant. Bob confirma : Tomaso fournirait sous huitaine les articles convenus, que l'on remiserait en lieu sûr – un parking privé place Beauvau – avant de les transporter au Havre dès l'arrivée du cargo ; ensuite on aviserait. Il arrive quand, ce bateau ?

– Le vingt, répondit Pons, en principe vers le vingt.

C'était là préjuger des forces du m /s *Boustrophédon,* présentement en panne au beau milieu de la mer d'Oman, à neuf cents milles au sud du golfe. On vient de franchir la ligne, mais on transpire trop pour fêter ce passage dans les formes. Le bâtiment donne des signes de fatigue, il y a trois jours une voie d'eau s'est déclarée dans la salle des machines, suivie la nuit dernière d'un début d'incendie consécutif à une panne du réfrigérant d'huile. Il s'est presque aussitôt éteint de lui-même et, la cloison étanche jouant son rôle protecteur, l'eau ni le feu n'ont pu se propager jusqu'à la cale bourrée de matières éminemment fusibles et combustibles. La réparation prendra un peu de temps. On en a déjà pas mal perdu l'avant-veille pour aveugler la première avarie : par l'intermédiaire d'une station yéménite, le capitaine a expédié un câble au Havre, où l'administration portuaire a pris acte du retard escompté.

Pendant que le timonier Lopez, assisté du matelot Gomez, s'affaire sur le réfrigérant, Illinois rédige le journal de bord dans son appartement situé au-dessus des machines. Cet appartement se réduit à une pièce, tenant également lieu de salon, de salle à manger, de chambre, de carré. Il fait chaud sur l'arête du dixième parallèle, et le capitaine dilue ses phrases ; dans le rond du hublot, une tranche de bleu ciel vide pèse sur une tranche bleu marine déserte. Les moteurs étant stoppés, des entre-chocs d'outils percent le silence en remontant de la salle des machines, assaisonnés de jurons cartagénois. Le capitaine ferme le registre et s'étend sur le divan tendu de toile brune, bordé d'un cosy dont les rayons contiennent la bibliothèque de bord : moins de récits d'aventures vécues que d'ouvrages professionnels tels que la collection reliée de la revue *Navires, ports, chantiers.* Ouvrant un de ces volumes au hasard, Illinois tente de rassembler son attention sur un article intitulé « Mécanique de la rupture appliquée à la fatigue », puis il pose plutôt l'ouvrage ouvert sur ses yeux, tente de dormir comme les trois autres hommes d'équipage, réduits au sommeil technique à l'autre bout du cargo, sur leurs couchettes superposées. Les choses en sont là. Le soir tombe.

– Vous prenez de la glace ? demanda Bob la nuit venue.

– On se dit tu, réclama Pons, on peut se dire tu. Alors tu ne trouves pas que c'est un peu vide chez Paul ? C'est trop rangé, on ne sait pas où se mettre. Est-ce qu'il voit des filles ?

– Un peu de glace ? insista Bob en versant.

– Non, dit Pons, mais tu dois me dire, je suis sûr qu'il n'en voit même pas. Il a l'air triste, ce garçon, il n'était pas comme ça avant. Là, là, ça va, fit-il en retirant trop brusquement son verre. Merde. Non, laisse, ça ne tache pas, ça va sécher tout seul. Alors, pourquoi il est triste comme ça ?

Bob évoqua le souvenir d'Elizabeth, puis le départ d'Elizabeth. Ah je ne savais pas, s'apitoya Pons, le pauvre.

Tout seul. Bob rassura l'oncle ému : Paul voyait assurément des filles, il en voyait plusieurs, il les voyait souvent. Attention, prévint le duc : trop, ça n'est pas bon non plus. Un verre encore, c'était les confidences – terrain lourd où le duc vint s'envaser, sa langue broutant comme un vieil embrayage. Les idées puis les absences d'idées, les souvenirs ainsi que les trous de mémoire se bousculèrent, les anecdotes barrées de rire se concluant en ricanements trop longuement poursuivis après la chute, par auto-allumage. Puis il s'endormit d'un coup, avec des raclements de trachée-artère évoquant le naufrage d'une bielle. Bob le tassa un peu dans le fauteuil, jeta une couverture sur lui, sortit en laissant une seule lampe allumée.

Il n'était pas rentré lorsque Pons, le lendemain matin, rouvrit l'œil. Après un gros effort pour identifier les lieux, il se retrouva seul, sans nulle autre perspective que Chantilly. Gare du Nord, des escadrons de Parisiens travaillant en banlieue croisaient le contraire dans un grouillement feutré de caoutchouc, de crêpe et de cuir, sous la polyphonie des parfums frais, des sueurs fraîches, des dentifrices et tabacs frais, où toujours dissonnaient quelques premières notes de calvados. Devant la gare de Chantilly, un taxi prit le duc en charge jusqu'à la villa.

Jeff, le happa la voix de Nicole alors qu'il traversait discrètement l'entrée vers sa chambre ; son diminutif coupait sèchement l'air ; il pénétra gauchement dans le salon vert. Nicole était assise devant le secrétaire, des factures sous les yeux, un stylo à la main, les branches de ses lunettes reliées par une chaînette s'ensevelissaient dans un col roulé de mohair.

– Tu as téléphoné, dit-elle sans transition.

– Quoi, fit le duc. Oh oui, je vois ce que tu veux dire, j'ai dû passer deux trois coups de fil. Pourquoi.

131

Elle ne répondit pas. Le duc crut bon de détailler.

– Deux à Paris, je crois, mais il y en avait un qui n'était pas là. Et puis un type que j'ai connu dans le temps. L'école normale, tu vois, ça ne date pas d'hier. Il est dans la Mayenne, maintenant, du côté d'Evron.

– Tu as appelé là-bas.

– Je ne vois pas ce que tu veux dire, répéta Pons. Oh oui, je vois ce que tu veux dire. Mais non, pas du tout.

– On ne parle pas chinois, dit-elle, dans la Mayenne. Tu as parlé en chinois. Tu as appelé la-bas.

Pas en chinois, s'abstint de relever Pons. En malais. Et dans le meilleur malais. L'Etat de Johore, où se trouve la plantation, est connu comme celui où l'on parle la langue la plus pure, la plus exempte d'accents régionaux, d'influences allogènes. C'est un peu comme la Touraine pour nous autres.

– Bon, reconnut-il, c'était urgent. Il fallait que j'appelle, vraiment, où est le mal ? Cinq six minutes, bien sûr que je paierai.

– Pas cinq minutes, s'énervait froidement Nicole, tu le sais très bien. Boris a bien vu sur sa montre.

– Saloperie de Boris, dit le duc.

132

II

19

Quinze jours déjà que Charles était au Havre, mais la ville ne lui déplaisait pas. Il s'était installé non loin de la gare de marchandises, dans une cahute où les cheminots remisaient le matériel périmé – panneaux et feux rouillés, grillés. Quelques années auparavant, l'un d'eux avait cloué sur la porte un bloc éphéméride agrémenté d'une réclame pour une marque de gaine, cessant de le tenir à jour le 11 mars. Charles s'était aménagé là un espace pour dormir, pour manger quelquefois le soir, chauffant une boîte sur une petite flamme.

Il passait ses journées sur le port. Il regardait la mer et les navires, les cargaisons. Il s'y trouvait peu d'hommes de sa condition ; la plupart passent l'hiver à Paris, attendent les beaux jours pour investir les côtes. Souvent ils sont rejetés par les dockers, mais Charles aida une ou deux fois à la manœuvre, on le laissait circuler sur les quais du port marchand. Parfois des caisses tombaient en se démembrant, parfois on les refermait mal après une inspection, Charles se servait alors modérément, consommant les bananes sur place en gardant les conserves pour le soir.

Le contact d'une femme commença de lui manquer cinq jours après son arrivée, mais il ne connaissait personne au Havre. Une fin d'après-midi quand même il en vit une assise sur un banc de la rue Lord-Kitchener, un sac de provisions posé près d'elle. Les cheveux tirés, sans fard, elle n'était pas très belle à première vue d'autant qu'elle respirait trop fort, une main sur sa poitrine. Elle devait être un petit peu plus jeune que Charles, qui s'arrêta devant elle. Ça ne va pas ?

Elle parut surprise, eut un petit sourire instantané, presque à l'état d'excuse. Elle désigna le cabas, sa poitrine. Je vais vous aider, dit Charles. Non, fit-elle précipitamment.

— Soyez sans inquiétude, dit Charles, je n'attends rien de vous.

Elle fit encore non avec la tête, mais d'un air presque interrogatif. Alors je vous laisse, dit Charles, excusez-moi. Attendez, souffla-t-elle, je veux bien mais attendez un peu. Il s'assit à l'autre bout du banc, séparé d'elle par le cabas. Elle paraissait respirer mieux, il lui demanda si elle était malade. Ça me prend de temps en temps, dit la femme, vous êtes d'ici ? Non, dit Charles. Je crois qu'on peut y aller, maintenant, dit la femme. Charles prit le cabas.

Elle habitait plus loin qu'il aurait cru. En chemin, dans le crépuscule, elle nomma le palais de justice, la sous-préfecture, la mairie, la prison, la maison natale de Frédérick Lemaître. Sur les plaques bleues, Charles lisait les noms des rues qu'ils traversaient. Elle s'arrêta devant l'entrée crayeuse d'un immeuble conçu pour les classes laborieuses ; beaucoup de gens entraient et sortaient de cet immeuble, beaucoup d'enfants jouaient devant, en pyjamas déteints sous des peignoirs devenus trop petits pour leurs aînés.

— C'est là, dit-elle. Merci.

— Le plaisir est pour moi, déclara Charles, au revoir.

Comme il se retournait assez lentement, elle attrapa sa manche.

– Vous voulez boire quelque chose, imagina-t-elle. Est-ce que vous voulez manger quelque chose.

– Ai-je l'air d'avoir faim, s'inquiéta Charles.

– Je peux vous inviter (elle désignait le cabas).

– Ça dérangerait chez vous, affirma-t-il. Vous n'êtes pas seule.

– Non, infirma-t-elle respectivement, si.

Les deux pièces de son appartement donnaient, sans couloir, l'une sur l'autre. Dans l'une, un rideau de douche vert dissimulait le coin opposé au coin cuisine. L'autre était meublée par un lit d'une place et demie à dessus havane, par un fauteuil tapissé de nylcord grenat devant un récepteur Ribet-Desjardins dont l'antenne intérieure formait cadre, avec la photo d'un petit garçon dedans. Une reproduction de Vlaminck, une autre de Modigliani brisaient le continuum du papier peint, avec trois photos de Rudolf Noureev collées sur Canson noir et punaisées en escalier au-dessus du lit.

– Ça ne sera pas grand-chose, dit la femme, je fais comme pour moi, je crois qu'il reste un peu de vin. Vous ne voulez pas voir la télé, en attendant ? Vous ne voulez pas boire quelque chose ?

– Je veux bien, dit Charles, je veux bien.

Il se mit dans le fauteuil et suivit les programmes régionaux, puis les divertissements à forte audience pendant qu'elle faisait cuire les choses dans leur coin. Il se releva, proposa son aide lorsqu'elle mettait le couvert sur la table à rallonge, substituant une nappe au molleton servant au repassage. Elle disparut un moment derrière le rideau vert, revint adoucie d'un peu de fond de teint, de filets de couleurs claires sur ses paupières et sur ses lèvres, elle avait desserré ses cheveux sans les défaire. Charles la vit déplacer autour de son fourneau des objets qui, s'attendrit-il, n'avaient nul besoin qu'on les déplaçât ; elle ne le regardait plus, elle conservait un peu d'humilité dans le sourire.

Ils avaient dîné puis s'étaient vite couchés, Charles partit tôt le lendemain matin en promettant de revenir voir Monique. Il revint en effet quatre fois, apportant une conserve, un ananas très mûr récupéré en fin de marché, quelques fleurs empruntées aux massifs de l'hôpital général. Ces lieux étaient devenus des habitudes, forgées en moins de dix jours, de même que l'inspection de l'entrée septentrionale du Havre, vers Bléville, où les décharges parfois recelaient d'intéressants souvenirs. Une fois qu'il furetait dans cette zone, sur un côté de la départementale 147, un Ford Transit roulant trop près du bas-côté faillit le heurter. Charles se rangea dans le fossé à la hâte, grogna en direction du fourgon bleu qui s'éloignait vers le centre ville, tenant toujours sa droite exagérée.

C'est que Paul n'avait pas encore assez intégré le gabarit du véhicule, ni ne s'était bien rompu à ses commandes. Grippé, l'embrayage était anormalement dur, comme si l'on enfonçait un gros clou de son seul pied. Il conduisait doucement, modifiait souvent le programme et le volume du magnétophone japonais calé près de lui sur la banquette. Posé un peu plus loin, son sac de voyage contenait des affaires de rechange ainsi qu'un roman de Mike Roscoe. Cinq cantines métalliques trépidant à l'arrière du fourgon renfermaient, enveloppé dans de l'étoffe grasse, l'assortiment préconisé par Tomaso – à savoir huit fusils, six Herstal et deux Armalite, autant d'armes de poing nommées vipère, python, cobra, et quelques centaines de cartouches appropriées parmi quoi dominait la 7,62 soviétique courte.

Dans Le Havre homogène, les barres d'immeubles se croisaient comme de longs sucres sales. Tout paraissait avoir simultanément surgi du sol, clefs en main, environ 1955. C'était bien indiqué pour atteindre le port, mais le *Boustrophédon* ne se trouvait pas amarré comme prévu dans le bassin Théophile-Ducrocq, poste 2. Paul passa en revue les autres bâtiments, un *Démosthène,* un *Star* en loques, un *Suzy-Delair* attentivement briqué. Depuis le pont d'un indéchiffrable vracquier soviétique, deux marins blonds et blancs accoudés tiraient minutieusement sur leurs anglaises en suivant Paul du regard. Dans un bureau vitré de l'administration portuaire, un homme en bras de chemise l'informa des quatre à six jours de retard qu'accuserait sans doute le cargo cypriote. Il indiqua le dock où se trouvait entreposé déjà son fret, Paul discrètement s'étant fait confirmer que les douaniers ne s'y intéresseraient pas avant le moment du chargement. L'homme en chemise délivra un bon.

Grâce au bon, Paul put accéder aux docks, repérant tout d'abord les lieux pour débarquer ses cantines sans attirer trop d'attention. Il les répartit parmi d'autres cantines assez semblables contenant des condensateurs, des machines étiquetées condensateurs. Ce ne pouvait être qu'un abri provisoire en attendant l'arrivée du cargo, il faudrait convenir avec le capitaine du moyen de les soustraire ensuite à l'inspection douanière ; Pons avait assuré qu'Illinois, face à ce problème, n'avait pas son pareil. Paul remonta dans le Ford, à bord duquel il chercha près d'une heure le centre de la ville, mais peut-être n'y en avait-il pas, ou bien c'était plusieurs petits. Revenu près du port, il réserva la chambre 24 de l'hôtel Diamant, très haute de plafond, et d'où il appela Bob aussitôt.

Bob n'étant pas chez lui, Paul à toutes fins utiles laissa le numéro de l'hôtel sur son enregistreur automatique. Il ressortit pour aller restituer le Ford à la succursale havraise de Hertz, l'échangeant contre un coupé 104 noir. En fin de journée, longeant la mer en s'éloignant du port, il découvrit une petite étendue de tessons et de galets enrobés de naphte, qui permettait de marcher un peu tout seul au bord de l'eau. D'anciens éclats de verre usés par le mouvement de l'océan luisaient comme des berlingots arrondis, des émeraudes ; Paul les ramassait et les regardait, les mettait dans sa bouche, dans sa poche, suçait le sel sur ses doigts. Vers huit heures il dîna de bière et d'œufs dans une brasserie puis regagna son hôtel, Bob n'était toujours pas chez lui. Paul se coucha très vite entre des draps raides et rêches, plâtreux, presque plus denses que l'édredon. Un plan de la ville déplié sur ses cuisses, Mike Roscoe à portée de la main, il fuma plusieurs Senior Service en regardant le plafond extraordinairement distant, comme si c'était du fond d'un puits qu'il voyait se découper ce carré de ciel, étoilé d'écailles de peinture et sous lequel, telle une ancre jetée, pendait l'araignée sèche d'un lustre au bout d'une chaîne d'arpenteur. Il s'endormit plus tôt que d'habitude, la carte du Havre étale sur lui formant une couverture d'appoint.

Il entendit pleuvoir avant de rouvrir les yeux, reconnut tout de suite une de ces pluies qui durent, termina le Mike Roscoe avant de se lever. Après le déjeuner, courant entre les gouttes vers une maison de la presse proche de l'hôtel, il s'y procura d'autres livres dont le papier commun buvait instantanément l'eau du ciel. Rentré dans sa chambre, le téléphone sonnait : Bob. Paul lui exposa le retard du cargo, son attente ici même pendant quatre à six jours au mieux. Mieux vaut attendre à Paris, conseilla Bob, reviens. Tu vas t'emmerder. Non, dit Paul, je reste. Je ne fais rien à Paris de toute façon, j'y suis mal. Cette fille du cinéma, tu sais (je sais,

dit Bob), c'est cuit, je sens que c'est cuit, autant rester.
Je rappellerai.

Il se mit donc à lire, il sortit peu de sa chambre. Ayant
convaincu la réception de lui faire monter à heure fixe
des plats chauds, il pouvait s'endormir inopinément. De
jour ou de nuit, la pluie ne faisait pas le même bruit de
l'autre côté des rideaux tirés.

20

– Trois jours qu'on ne l'a plus vu, faisait remarquer Toon en fouillant, je me demande ce qu'il fout. Attention, devant, cria-t-il.

En provenance de La Ferté-sous-Jouarre, le 4 × 4 brique fonçait vers Château-Thierry. Toon s'était soudé dans son siège lorsque l'on évita de justesse un semi-remorque en train de doubler en sens inverse. Réglant constamment la fréquence des ondes courtes, dont les informations pouvaient le conduire à modifier l'itinéraire, Van Os scrutait le rétroviseur autant que le pare-brise du véhicule lancé à toute allure.

– On aurait pu prendre l'autoroute, vous ne croyez pas ? regretta Toon en se dégrippant du siège.

Il se remit à fouiller dans la vaste boîte à gants, en tira une boîte métallique au couvercle barré d'une croix de sparadrap.

– C'est ça, dit Van Os, et à la sortie on tombe sur des motards. Non, c'est un piège à cons, l'autoroute. Je te l'ai dit cent fois.

Bon, fit Toon en se préparant le pansement. Renversant le pare-soleil, il se considéra dans le miroir de courtoisie puis appliqua le tricostéril, avec une crispation, sur son arcade gauche écorchée. Il se considéra derechef, sollicitant quelques mimiques.

– Tu ferais mieux de compter.

Toon fit venir le sac de toile posé sur la banquette

arrière, le bascula lourdement par-dessus son dossier, s'y plongea le nez comme pour inhaler.

– Ça fait beaucoup, décrivit-il, ça risque d'être long.

– Ça va, dit Van Os, on verra ça à la maison. A vue de nez, tu dirais quoi ?

– Deux trois cent mille, mais je ne garantis rien.

– Ça va, dit Van Os.

Ils ne parlèrent plus jusqu'à Château-Thierry, où naît une départementale tordue qui va longeant les bois de Barbillon. Van Os baissa la radio, réduisit son allure.

– Il était con, ce caissier, reprit Toon en se massant l'épaule gauche. Il m'a fait mal.

– Tu lui as fait mal aussi, rappela Van Os.

– Notez qu'il s'en est bien tiré, fit observer le jeune homme en sortant de son aisselle un petit pistolet, une chance pour lui que je n'avais que ce petit pistolet. On fait vraiment avec ce qu'on a.

– Puisqu'on ne trouve rien, dit Van Os. Rentre ça.

Toon rentra ça puis farfouilla dans le fond du sac sous les banknotes sédimentés, y alla chercher un masque en caoutchouc vert hérissé de pseudopodes tremblotants, qu'il se plaqua sur le visage en produisant un bourdon-nement. Enlève ça, idiot, siffla Van Os. Toon ôta le masque en rigolant, on a quand même bien rigolé.

Leur cache, pour les jours à venir, était une petite gare désaffectée, très isolée, très secondaire en marge des bois, prenant à peine plus de place qu'un pigeonnier, flanquée d'un garage en tôle où l'on remisa la voiture. On pénétra ensuite dans la maison obscure en fermant derrière soi, on prit garde à n'ouvrir pas les volets, Toon tâtonna un peu avant de trouver le compteur. Puis il vida le sac sur une grosse table en chêne très lourde, très encombrante, garnie de nombreuses moulures et de nombreux tiroirs aux poignées de bronze, et qui obstruait près de la moitié

143

de la pièce unique formant rez-de-chaussée. Répandu sur son vaste plateau, le volume de billets de banque décevait. Van Os eut un rictus maussade, entreprit de tourner autour de la pièce pendant que Toon se mettait à compter.

– On gèle ici, constatait Van Os, et puis ça pue le renfermé. Il n'y a pas de chauffage ?

– Juste la cheminée, on peut faire un peu de feu si vous voulez. Il y a du bois dans le garage.

– C'est ça, dit Van Os, et la fumée ? Quelqu'un voit la fumée, c'est les flics dans les cinq minutes. Quand même on se gèle, répéta-t-il en se frottant les mains, Plankaert aurait pu prévoir. Un petit truc électrique, je ne sais pas, un petit radiateur à huile. Tu les vois, ces petits radiateurs.

Toon disposait les liasses en trois rangs parallèles. Van Os s'approcha du butin qu'il jaugea, cessant de se frotter – même pas cent cinquante mille, tu vas voir. Un téléviseur minuscule était posé par terre, qu'il brancha sans mettre le son : c'était assez brouillé, strié, peu contrasté, des fantômes cathodiques des deux sexes ouvraient des bouches de poissons flous dans un aquarium boueux.

– J'espérais mieux, dit Van Os. Et Bergman ? Tu ne vois pas qu'il nous fasse un enfant dans le dos ? Qu'est-ce que tu crois ?

– On en a déjà parlé, dit Toon. Et puis je compte, là. Je ne peux pas tout faire en même temps, n'est-ce pas.

– Evidemment, ricana Van Os en consultant sa montre. Et l'autre, Bob, qui est toujours derrière ?

– Il n'a pas bougé, il reste chez lui.

– Et la fille ?

– Je sais qui c'est, la fille, maintenant, je sais où elle habite. Ça peut servir, en cas.

Van Os monta le son comme défilait un générique

d'actualités locales : un reportage tout neuf y était consacré au sac d'une banque de La Ferté-sous-Jouarre. Les deux hommes le suivirent avec un vif intérêt. D'abord un ample mouvement d'appareil présentait le cadre où s'affairaient les forces de l'ordre, d'où s'éloignait une ambulance contenant le caissier. Ce con de caissier, rappela Toon. Puis un témoin, cadré serré, pensait ensuite pouvoir décrire les agresseurs : deux blonds costauds, l'un plus costaud que l'autre et peut-être affligé d'un accent du Sud-Ouest ou quelque chose. Quel con, celui-là aussi, grinça Toon. Comme l'émission s'achevait sur des plans aériens de Cergy-Pontoise, Toon termina ses comptes. Cent trente-huit, dit-il, vous aviez raison, ce qui nous fait trois fois quarante-six. Sur la table étaient trois volumes égaux de liquide, Toon en poussa deux vers Van Os contrarié puis s'approcha du poste.

— Laisse, ne touche pas. Des fois qu'on serait aussi à celui de vingt heures.

— Oui, dit Toon, et puis il y a les émissions drôles à cette heure-ci.

— Ne t'occupe pas des émissions drôles, imbécile, cria Van Os brusquement. Recompte voir, plutôt. Et demain tu vas t'occuper un peu mieux de Bergman, tu entends ? Tu commences par cette fille, d'abord, tu vas tâcher de m'en tirer quelque chose. Demain. Je te dis de recompter.

Cette fille était cependant dans sa chambre de jeune fille, au deuxième étage de la maison de sa mère à Chantilly. Elle découpait des images dans les revues de mode, des choses qui pourraient lui donner des idées.

Jeff, au déjeuner, avait annoncé son départ d'un ton sourd, avec des yeux confidentiels. Comme Justine s'amusait de ses mimiques conspiratrices, il feignit de les avoir feintes en les exagérant jusqu'à ce qu'elle sourît moins. Quelqu'un, dit-il, passerait le chercher en fin de journée. Il s'était levé aussitôt après le dessert pour aller préparer son bagage dans sa chambre, Nicole l'y rejoignit pour l'aider. Justine à son tour avait regagné son ancienne chambre. Trois heures à présent qu'ils faisaient cette valise. Elle coupait ses photos en morceaux de plus en plus petits.

On sonna deux coups brefs à la grande porte, en bas. Justine entendit les semelles hésitantes de Boris claquer sur le carrelage du hall, puis la porte se refermer après un échange indistinct. Peu après, Boris monta lui annoncer d'une voix réprobatrice la survenue d'un jeune individu qui demandait après le duc. C'est plutôt lui qu'il faut prévenir, dit Justine. J'ai essayé, fit l'homme de charge peiné. Ça ne répond pas, je n'ose pas insister.

Bob se tenait bien droit au milieu d'une dalle noire de l'entrée, les yeux levés vers Justine qui venait d'apparaître dans les hauteurs de l'escalier. Eblouissante elle descendait ensuite lentement les marches vers lui, pour lui seul, alors qu'on est toute une bande au Casino de Paris. Puis elle le conduisit dans le salon vert, Bob était effroyablement intimidé. De crainte de la dévisager, depuis le bord instable d'une berceuse il étudiait l'environnement. Aux murs, les œuvres d'art disaient bien le tourment de leurs auteurs dans les années 50, soucieux de garantir à une clientèle argentée quelque idée de ce qui se fait dans le moderne – bâtard bien habillé d'impressionnisme et d'abstraction – tout en la rassurant par une image un tant soit peu reconnaissable de réalités nobles telles que les tempêtes d'équinoxe vues du Grand Hôtel de Cabourg, le pont des Arts à l'heure du thé, la baie des Anges à celle du Cinzano. Sous vitrine entre les deux fenêtres, s'ordonnaient quelques éventails, sulfures et tabatières, animalcules précieux veillés par des ancêtres apocryphes.

Justine offrit un verre à Bob. Bredouillant merci, Bob était sur le point de trouver autre chose à dire lorsque Pons les rejoignit dans le salon. Ses yeux brillaient de fraîcheur et de fièvre, il paraissait léger, fatigué quoique dispos, ce qu'une certaine distraction manifestait.

– Je suis excessivement content, Bob, de te voir, assura-t-il en restaurant d'un doigt badin le parallélisme des plinthes avec le pont des Arts. Ainsi vous avez fait connaissance. Tu as vu cette belle petite.

Décidément très à l'aise il s'approchait de Justine non sans une menaçante verdeur, elle s'écarta d'autant, souriant d'exquise indulgence ; Bob examinait avec gêne le contenu de son verre. On va y aller, dit le duc, je suis prêt donc tout est prêt. On se transporta dans l'entrée. Nicole parut toute recoiffée, suivie de Boris qui descendait le bagage ducal, le tenant comme une poubelle éloigné de lui au bout de ses doigts, s'accrochant à la rampe avec ses autres doigts. On sortit, Bob ouvrit le coffre pour que Boris y déposât l'objet de sa répulsion. Circulant autour du véhicule, Bébé d'Amour vérifiait en pissant contre la pression des pneus. Puis le duc, profitant de la nuit venue pour furieusement pétrir Nicole une dernière fois, grimpa dans le véhicule qui démarra sous les yeux soulagés de l'homme de charge.

Mère et fille le virent s'éloigner, disparaître. A l'intérieur, déjà le duc Pons traquait sur l'autoradio quelque musique à l'aune de son humeur légère, commentant avec outrance toute mélodie qu'il croisait, s'échouant enfin sur du clavecin, des pièces de Scarlatti assez agaçantes pour les nerfs. Bien, dit-il, comment procède-t-on finalement.

Bob exposa : par souci de discrétion, eu égard au harcèlement du gang belge en particulier, on était convenu d'agir séparément. Paul s'occuperait de convoyer les armes jusqu'à Port-Saïd, où le *Boustrophé-don* devait faire escale. Bob et Pons l'y rejoindraient par avion, dans quelques jours. En attendant, dit Bob, vous habiterez chez moi, on s'arrangera. Le duc aima ce projet : Chantilly lui pesait, avoua-t-il, Nicole est gentille mais bon, la petite est bien mais il y a ce Russe qui n'est pas sympathique, tout de suite le duc l'avait senti hostile.

Donc ce n'est pas plus mal, n'y aurait-il pas un peu de remontant pour fêter ça. Bob désigna la boîte à gants : raide de graisse, un gant célibataire hébergeait là toute une famille de cartes routières fripées, une communauté gondolée de contraventions en uniforme vert, un couple de chiffons, une paire de lunettes noires, une vieille tribu de points Mobil, une bande désœuvrée de petites pièces détachées sans avenir, une flasque vêtue de cuir emplie de whisky Jameson. Tu es un ange, dit le duc en dévissant le bouchon chromé. Il but puis il reprit son souffle, coinça le flacon plat entre ses genoux, produisit un ricanement puis un autre, et encore un autre en prenant son temps. Il n'y eut plus que le bruit du moteur ponctué de ces ricanements à usage interne, pimenté par le clavecin bourdonnant comme les insectes extérieurs, suspendus dans l'air noir, happés par phototropisme dans les faisceaux coniques des phares, et qui explosaient sur le pare-brise en étoiles transparentes.

21

La pluie cessa dimanche matin puis les nuages se dissipèrent, éventrés par un soleil frais qui déridait toute chose sous lui. Paul avançait le long du môle, les flancs des navires à quai dressaient de hautes murailles de chaque côté comme s'il marchait au fond d'un défilé. A l'extrémité de la jetée, il aperçut enfin l'étrave algueuse du *Boustrophédon*. L'épinard de la coque s'écaillait par plaques et le pavillon malpropre pendait, flaccide, à la poupe du bâtiment. Juché sur la cheminée vieux citron à bandes noires, un goéland provisoire se tenait.

Personne n'était visible sur le pont hérissé de mâts de charge en arrière de quoi, maintenu par un jeu de poulies contre la paroi du château arrière, un marin de dos s'affairait à en reblanchir les deux derniers étages. Il suspendit le mouvement de son pinceau, se tournant à moitié vers Paul arrêté au-dessous de lui.

— Vous êtes l'assurance ?

C'était un homme trapu, son cuir chevelu nu se couronnait de blond court, son regard austère et sans miséricorde rappelait certains aumôniers de la Légion.

— Non, dit Paul, c'est pour un chargement.

— Au bureau du port, dit le marin, c'est avec eux qu'il faut voir ça.

— Je les ai vus, dit Paul, maintenant c'est le capitaine que je cherche.

— Il n'est pas là.

– Mais je dois le voir, insista Paul, c'est convenu entre nous.

– Puisqu'il n'est pas là, conclut le marin en se retournant vers son ouvrage.

Il se remit au badigeon d'un croisillon. Paul vérifia en soupirant que personne d'autre ne paraissait à bord. Un temps : jugeant sans doute l'affaire mal engagée, le goéland se détacha de la cheminée pour s'en aller décrire un arc large au-dessus de l'eau du port, opaque ainsi que du mucus. Paul le suivit des yeux, puis revint au peintre :

– Il n'y a personne d'autre ? Il faut que je voie quelqu'un, de toute façon. Il n'y aurait pas un second, quelque chose comme ça ?

L'autre ne répondit pas. Le goéland achevait son tour de rade sur la flèche d'une grue bleue, chargeant de la bauxite sur un bâtiment balte en partance pour le lac Ladoga, parmi les cris et mugissements des sirènes et des mouettes. Eh, rappela Paul, je vous parle. Sans se retourner, le peintre soupira puis il cria un nom, brutalement. Paul ne saisit pas bien ce nom, plutôt poussé à la manière d'un juron bref sanctionnant quelque faux mouvement de pinceau. Aussitôt parut le porteur du nom, à l'extrémité opposée du cargo, Paul le découvrit comme s'il était là depuis un moment déjà, mimétique aux mâts de charge, discret sujet bleu marine qui ne paraissait pas répondre à un appel, feuilletant de toute éternité des papiers jaunes à l'ombre de sa visière. Il longeait la rambarde dans la direction de Paul, sans se hâter ni sembler l'avoir vu.

– Je cherche le capitaine, cria Paul, c'est vous ?

Le sujet bleu leva les yeux de ses papiers, comme pour réfléchir à sa lecture, à cette question, faisant progressivement le point sur l'homme qui la posait.

150

– De la part de Pons, dit Paul, monsieur Pons. C'est un ami du capitaine. Je suis un ami de monsieur Pons. Vous ne voyez pas ?

– Je ne les connais pas tous, fit l'homme d'un air frileux. C'est pour quoi ?

– Un chargement, dit Paul en s'aidant de gestes, et puis moi. Je pars avec le chargement.

– C'est qu'on ne prend pas de passagers, frissonna l'homme, il y a ça.

– C'est prévu, répéta Paul, c'est convenu.

L'autre agita ses papiers jaunes.

– Si c'est prévu, c'est marqué. Si vous le dites, c'est peut-être marqué. (Il les consulta.) Pas là-dessus, il faudrait plutôt voir en haut. Montez, montez toujours, on va voir là-haut.

Paul franchit la passerelle puis l'autre toucha sa casquette : lieutenant Garlonne, de la marine marchande. Bergman, exportateur. Paul le suivit dans la coursive, puis dans l'étroit escalier de fer menant à l'abri de navigation. Naturellement, disait le lieutenant, je ne suis pas toujours au courant de tout, je ne suis que le second, mais enfin quand même, vous dites Bernstein ? Bergman, dit Paul. On va voir, dit Garlonne. Il disparut à l'intérieur du poste de pilotage. Ah oui, sonna sa voix off, Bergman. Il reparut :

– C'est marqué, vous avez raison. Entrez. Tellement rare qu'on prenne du monde, voyez-vous. Même ceux qui demandent, on les dissuade, il n'y a pas le vrai confort et puis l'ennui, n'est-ce pas, l'ennui en mer. Vous le concevez.

– Je le conçois, dit Paul.

– Question passagers, on ne peut légalement pas dépasser douze, de toute façon. Passé douze on devient paquebot, ce qui change tout, vous le concevez également. Elle est où, votre marchandise ?

Paul rappela le numéro du dock attribué au cargo pour son fret ; sa marchandise se trouvait entreposée là, déjà, avec le reste. Mais justement, c'est que c'est particulier, dit-il, c'est un peu spécial. Je verrai, dit le second, avec le capitaine. Le spécial est de son ressort. Autre chose, il conviendrait de payer d'avance : toujours utilisé par ses armateurs pour le transport vers l'occident du caoutchouc, accessoirement de l'huile de palme et de l'étain, le *Boustrophédon* devait chaque fois trouver une cargaison dans son retour orienté, pour éviter le manque à gagner d'un voyage à vide. Mais rude était la concurrence, aléatoire le marché, on avait vu se défaire des arrangements sûrs, des contrats n'être pas honorés – autant s'engager dès maintenant. Du liquide serait préférable, prévint Garlonne comme Paul cherchait son carnet de chèques.

– Bon, dit Paul, je vais passer à la banque, je reviens dans l'après-midi. Il sera là, le capitaine ?

– On le voit rarement avant le départ. On appareille demain matin, de toute façon, dès que Lopez a fini de peindre. On a pris du retard, on ne peut pas traîner. Une toute petite escale, n'est-ce pas, les types protestent comme vous pouvez imaginer.

Il semblait animé par la nouveauté de Paul, heureux prétexte à une conversation qu'il était moins facile, peut-être, d'entretenir avec Lopez. Il lui fit visiter le poste de commandement, présentant les accessoires d'aide à la navigation : la précision de l'autopilote, la portée de la sonde à écho. Il se déplaçait à petits pas, d'un appareil à l'autre, dans l'uniforme sur mesures qu'il portait avec une netteté de steward. Ensuite ils descendirent les étages du château arrière, longèrent la rambarde vers la proue. Comme on avait retiré les bordages sur toute la surface du pont, les cales vidées de leur caoutchouc béaient à ciel ouvert. Seules une demi-douzaine de lourdes bicyclettes chinoises se trouvaient là, formant buisson, laquées de noir et de fils d'or comme les vieilles machines à écrire et à coudre ; leur destinataire, indiqua Garlonne, n'étant jamais venu les récupérer, elles trouvaient toute leur utilité lors des escales.

Paul suivit le second jusqu'au gaillard d'avant où se trouvaient sa cabine ainsi que la chambrée de l'équipage, symétriques à l'appartement du capitaine situé à la base du château. Garlonne offrit à Paul d'entrer, qui ne voulait pas déranger mais se retrouva quand même un verre de Banyuls à la main, pendant que l'autre lui faisait passer des photographies de sa fille. Il n'avait à présent plus qu'elle, pensionnaire d'une institution protestante dans le Gard. Dénuée de la patience requise aux femmes de marins, madame Garlonne les avait abandonnés huit ans plus tôt pour un gros exploitant agricole, marquant ainsi qu'elle choisissait clairement son camp.

— Vous êtes à quel hôtel ? fit cet autre homme quitté, ce frère fantôme. Qu'on puisse vous prévenir, selon.

A peine étourdi par le vin cuit, par le balancement du cargo hoquetant au bout de ses amarres, Paul se retrouva sur le quai, toujours désert à l'exception d'une petite silhouette sombre assise tout au fond. Des chocs d'objets lourds, déplacés à grand-peine, montaient profondément du ventre des navires ; sur les ponts, des interjections calmes tressées de bruits métalliques, de sacs traînés et de câbles tendus, sonnaient trop distinctes dans l'iode de l'air. Au bout du quai, l'homme assis sur une caisse n'était pas beaucoup moins imprécis vu de près qu'à l'état de silhouette : un regard absent, une morphologie fruste sous des vêtements foncés de trimardeur. Paul lui accorda peu d'attention. Son passage à bord du cargo lui donnait le sentiment d'être déjà parti, presque embarqué de force.

Lorsqu'il revint l'après-midi avec l'argent, l'homme errant était assis au même endroit, sur une caisse légèrement différente, considérant de loin les opérations de chargement. Nulle raison qu'ils s'identifient. Lopez repeignait à présent l'étage supérieur du château. Usant rétrovisuellement de sa peinture fraîche, il ne se tourna pas quand Paul monta à bord sous le ballet aérien des mâts de charge. D'après les directives du second, trois hommes d'équipage réceptionnaient des containers qu'ils disposaient en ordre.

– On n'aura pas fini avant ce soir tard, dit Garlonne sans compter les billets. Et encore.

Au beau milieu du fond de cale, bientôt couvertes par d'autres caisses, Paul aperçut celles qu'il avait convoyées. Elles ne passaient ni plus ni moins inaperçues que les autres, ce dont il s'inquiéta. C'est arrangé, dit le second, le capitaine a vu avec Bloch. Il s'en tint là, trop pris par sa tâche. Des trois hommes occupés en dessous d'eux à se passer les contenants, deux regardèrent Paul une ou deux fois : un Africain qui avait l'air de souffrir de la hanche, ainsi qu'un jeune et bel indifférent brun. Le troisième dénommé Sapir tenait lieu de contremaître, d'intermédiaire entre Garlonne et les deux autres. Il possédait une large tête en forme de pelle, coiffée d'un buisson de paille de fer, et touchait à son nez dans ses moments de répit. Lui ne jeta aucun regard sur Paul.

Sapir occupait en mer les fonctions de mécanicien, et l'Africain qui répondait au nom de Darousset assurait celles de gabier. L'indifférent brun n'était qu'un simple matelot polyvalent nommé Gomez, originaire du même village que Lopez, non loin de Carthagène. Le capitaine avait récemment recruté Gomez sur la recommandation de Lopez, qui associait depuis longtemps ses talents de peintre à ceux de timonier à bord du *Boustrophédon.* L'indifférence qui flottait en Gomez était sans doute parente de celle de Lopez, quoique sensiblement plus japonaise, Gomez pouvant sourire alors que son compatriote pas. Sapir non plus ne souriait pas, ni Darousset trop proche de sa hanche, il n'émanait de cet équipage aucun élan d'accueil particulier. Quant au capitaine, Paul se vit confirmer qu'il lui était habituel de regagner le bord au tout dernier moment, toujours prévu pour le lendemain matin tôt. Cependant Garlonne insista pour que Paul se tînt à son hôtel d'ici là, prêt à toute éventualité.

Désœuvré, Paul se trouvait donc allongé sur son lit, dans sa chambre de l'hôtel Diamant. Quelqu'un dans une chambre proche tapait à la machine – parfois legato, tétanos de castagnettes, parfois staccato discontinûment, reproduisant par accident des scansions de slogans, de refrains brefs, de scies, repères rythmiques ancestralement acquis, presque aussi profondément enfoncés que l'inné. D'une autre chambre contiguë, le rock primitif d'une radio frayait également son passage à travers les cloisons dont le papier peint retenait l'aigu, filtrant les caisses battues quelquefois synchrones avec la dactylographie. La fenêtre ouverte amenait toujours les hautes et basses fréquences des mouettes et des sirènes, la nuit venue épurant les sons, accentuant leur relief, leur phosphorescence, Paul composait dans l'ombre le numéro de Justine sur le cadran.

– Elle n'est pas là, dit Laure, est-ce qu'elle peut vous rappeler ? Dommage. Est-ce qu'il y a quelque chose à lui dire ? Bon. Je dirai juste que vous l'avez appelée. Bon, je ne dirai pas. (Elle raccrocha.) Tu as raison, c'était lui. Tu as les clefs de la voiture ? On y va.

22

Une heure plus tard, en compagnie de figurants des deux sexes, Laure et Justine étaient serrées autour d'un guéridon, parmi d'autres guéridons dans un parallélipipède opaque, bleu fumée piqueté de rouge mégot, avec un bar sur le côté, devant une scène minuscule où se produisait un quintette. Les instruments conglomérés rejetaient les lumières, mêlant leurs reflets métalliques, plastiques, laqués, qui allumaient de petits éclairs d'or sur les fausses dents du public. Au bar étaient trois solitaires tournés devant leurs bières, pris à revers par la musique, ainsi que Toon et Plankaert, celui-ci moins petit que celui-là, chacun sous son chapeau.

– Alors, demandait Toon, tu t'es bien remis ?

Par une illusion parente de celle qui veut que deux segments semblables, pennés en sens inverse, paraissent d'inégale longueur, leur disparité de taille était aggravée par ces chapeaux mêmes : celui de Plankaert le grandissait vraiment, comme d'un étage supplémentaire, alors que Toon semblait écrasé sous le sien dont il rabattait le bord. Plankaert avait une allure assez conventionnelle, placide. Son chapeau subsidiaire mis à part il était habillé, disons, comme le père fondateur d'une petite entreprise familiale d'auto-école, il avait l'air patient comme un moniteur d'auto-école ; il avait l'air intéressé par la musique.

– Ça va mieux, répondait-il sans regarder Toon.

Quoique j'aie peur d'avoir un peu repris froid, l'autre jour, en vous cherchant la maison.

Les musiciens brodaient sur un air du Cap-Vert. A contretemps, du bout de sa semelle, Plankaert écrasait les bouts filtres qui jonchaient le carreau. Saluant du sourcil telle syncope bien venue, il suivait les solistes véloces de toute son attention, comme au volant d'un bolide sur une étroite route de montagne pleine de lacets, riche en ravins.

– Tu aimes ça, toi, fit Toon d'une voix résignée.

– C'est une époque, dit Plankaert, c'est une esthétique. Tu crois qu'elles vont rester jusqu'à la fin ?

Justine et Laure restèrent après que le quintette eut arpenté le Cap-Vert, puis célébré *Laura* sur un tempo inhabituellement fiévreux. Rétif, Toon montrait de l'impatience, passait d'un pied sur l'autre en se plaignant de ses jambes. On reprend quelque chose, proposa Plankaert, ça fait passer le temps. Le barman déposa deux bières devant eux, Plankaert paya tout de suite par habitude professionnelle.

– Tu es sûr qu'elle est avec Bergman, s'inquiéta-t-il. Si elle n'est pas avec lui, ça ne sert à rien d'être là.

– Je ne dis pas qu'elle est avec Bergman, rappela Toon, je dis que Bergman lui court après. Si on lui court après aussi, on finira par se croiser, enfin je me comprends. Voilà ce que je dis. Ça m'a l'air de finir, non ?

Ça finissait, on bissa les artistes qui conclurent en exécutant *Work,* ensuite c'était vraiment fini. Un brouhaha froissait la salle. Justine et Laure se passèrent leur sac en se levant, deux figurants mâles étaient aussitôt debout pour reculer leur chaise. L'un d'eux, figurant plus intelligent, récita sa réplique inaudible à Justine, qui lui sourit. Tu vas voir qu'elle part avec celui-là, dit Plankaert. Non, dit Toon, tu vas voir que non.

– Elle marche bien, cette voiture, trouvait ensuite Plankaert au volant du 4 × 4 qu'il menait prudemment, ménageant une centaine de mètres vides derrière celle de Justine.

– Pourquoi tu peux la conduire, toi ? demanda Toon, moi il ne me laisse jamais.

Plankaert ne voulut pas répondre. Un temps.

– C'est comme un autre truc, aussi, reprit Toon. Il te dit vous, à toi. Moi c'est toujours tu. Pourquoi, tu crois ?

L'un derrière l'autre, les deux véhicules descendaient le Faubourg-Saint-Denis vers le tunnel qui mène au Châtelet. De là, direction Bastille. Toon produisit un bruit de vieille porte :

– Regarde, elles rentrent chez elles, ça n'a servi à rien. Pas plus de Bergman que de. Heureusement que ça t'a plu, la musique. Qu'est-ce qu'on pourrait faire, maintenant. Il y a bien le copain de Bergman, là, celui qui s'appelle Bob. Si on allait le voir.

Plankaert était d'accord pour aller visiter le copain Bob, bien qu'il fût beaucoup plus de minuit – au contraire, cela ne mettrait le copain Bob que plus à l'aise. Et Bob conçut en effet quelque gêne en découvrant Toon derrière sa porte à cette heure-ci, drapé dans son manteau, affichant une expression choisie.

– Bonsoir, fit Toon, on voudrait voir Bergman. On le cherche.

– C'est qu'il n'est pas là, dit Bob. Tiens, Plankaert, ça faisait longtemps.

– J'ai été fatigué, dit Plankaert. Vous n'auriez pas vu Bergman ?

– Il n'est pas là, répéta Bob.

– Ça ne fait rien, décida Toon, on entre un moment.

Plankaert resta près de la porte, que Bob ne ferma

pas tout de suite. Odieusement nonchalant, Toon visitait déjà le studio, retournant des papiers, penchant une bouteille, écartant les cintres dans la penderie. Il n'eut pas un regard pour le duc Pons dans son fauteuil, qui le regardait faire avec indécision, surpris tout affalé devant un film de la télévision dans lequel Burt Reynolds, à contre-emploi, tenait un rôle d'avocat déchu.

– Alors, fit Toon comme pour lui-même. Où est-ce qu'il est, Bergman, s'il n'est pas là.

– Allez voir chez lui, dit Bob. Je ne sais pas, moi. Vous m'emmerdez, n'est-ce pas, je ne sais pas si vous vous rendez bien compte.

– Vous vous foutez de moi, dit Toon. Il n'est plus chez lui. Où est-ce qu'il pourrait bien être, dites-moi.

– Je vous trouve vraiment, hésita Bob, je ne trouve pas le mot.

– Ça va vous revenir, dit Toon. Notez bien que j'ai mon pistolet.

Heureux de n'être pas pris dans la conversation, tout à fait concentré sur son film, Pons s'efforçait de ne plus du tout regarder les Belges, comme s'ils n'existaient pas, tâchant ainsi, lui-même à leurs yeux, de n'exister pas. Vous mentez, entendit-il s'exclamer Toon, je dois punir de tels mensonges. Pons tenta de se fondre absolument en Burt Reynolds, contraint par les circonstances de la vie à défendre la blonde même qui est la cause de sa déchéance, et que l'on juge pour le meurtre de son ami, son meilleur ami à lui Burt Reynolds. Toon pénétra dans la périphérie de son champ visuel, s'arrêta devant le téléviseur comme pour suivre le film, considérant quelques instants l'image de haut, dans une plongée de guingois, puis il frappa très brutalement du pied contre le flanc de l'appareil qui sursauta sous le choc. Le duc sursauta aussi. Presque aussitôt il se mit à neiger sur

Burt Reynolds, puis Burt lui-même devint de la neige, sa délicate plaidoirie s'exaspérant en sifflement violent cependant qu'un gros fil blanc commençait de fumer depuis les entrailles du téléviseur. Toon se retourna vers Bob avec un nonchalant sourire d'excuse, odieux. Bob paraissait fatigué. Voyou, souffla le duc dans une impulsion.

– C'est peu de chose, reconnut Toon, mais c'est le geste qui compte.

Plankaert se penchait avec lenteur pour débrancher la prise du téléviseur. On ne va pas foutre le feu pour autant, fit-il calmement observer. Voyou, siffla Pons derechef, petit con. Comme s'il venait de le découvrir, Toon se tourna vivement vers lui en le frappant dans le mouvement, du dos de la main, Pons versa sur son siège à la renverse en se tenant le nez. Bob avait voulu faire un geste, mais Plankaert venait de lui prendre le bras.

– On va revenir, annonça Toon, et ça sera pire si on ne trouve pas Bergman. Ça sera pire si on revient.

Ils disparurent. Une ligne d'hémoglobine suintait du nez de Pons, et son regard était éperdu. Bob le remit d'abord d'aplomb dans le fauteuil, lesté par un verre autour duquel il fit se plier ses doigts, son autre main fermée en bigorneau sur son appendice. Le veilleur de l'hôtel mit ensuite beaucoup de temps à répondre, sa voix laissait entendre elle aussi le plus absolu désappointement de tout.

– On ne passe plus les chambres à cette heure-ci, s'expliqua-t-il anxieusement. On ne peut plus, ce n'était plus possible.

– C'est extrêmement urgent, plaida Bob. C'est très très très important, c'est la chambre 24.

– La 24, il n'est plus là de toute façon. Il est parti, le monsieur du 24.

– C'est impossible, dit Bob. Vérifiez, vous allez voir que non.

– Vous croyez quoi, demanda le concierge de nuit, que je raconte des salades ? Je ne raconte pas de salades. Je fais mon métier, je connais mon métier.

– Oui, dit Bob, bon.

– Je le fais correctement, comme il faut. Il est parti, je vous dis. Ils sont passés le prendre vers minuit, des types du port.

En effet, le *Boustrophédon* se trouvait en pleine mer à présent, Paul était à son bord, personne ne lui parlait. Sans s'expliquer sur les raisons qui avaient précipité le départ, Garlonne l'avait trop vite conduit puis laissé seul dans sa cabine, qui se révéla obscure. Paul en avait exploré les cloisons du bout des doigts, à l'aveuglette, cherchant non sans se cogner partout l'interrupteur dans ses plus improbables coins ; mais une fois cet objet trouvé, la lumière ne fut pas plus qu'avant, Paul regagna le bat-flanc à tâtons et s'y assit, son sac seul compagnon fidèle couché contre ses pieds, au cœur du squelette sombre du cargo, parmi les odeurs crues du sel, du gas-oil, de la peinture fraîche. On devait être au courant du problème puisque le matelot Gomez parut bientôt, une lampe de poche à la main, une ampoule de rechange dans la poche.

Ayant fait le tour de sa cabine, Paul descendit sur le pont. Classique bande-son d'appareillage. Les ombres des marins le frôlaient. On défit les amarres dès qu'Illinois eut regagné le bord, s'enfermant aussitôt dans son appartement – Paul n'avait eu le temps d'apercevoir qu'une ombre trapue s'engouffrant dans un triangle jaune immédiatement refermé tel une trappe. Garlonne dirigeant la manœuvre, sourdes soupapes et lourds pistons poussaient bientôt le cargo vers la sortie de la rade.

Civilisées, correctes, les eaux portuaires se tinrent tranquilles jusqu'aux deux phares dressés comme une paire d'obélisques ouvrant à la haute mer ; dès lors elles se permirent des allusions à leur puissance, dès lors cela commença de s'agiter. Sous l'effet du mouvement, des premiers entrechocs, des frissons nerveux parcourant la carcasse du navire, les timbres se dévissèrent sur les guidons chinois qui bientôt firent troupeau, sonnaillant désordonnément.

Paul demeura toute la nuit sur le pont, sachant qu'il ne dormirait pas. Il fallait d'abord beaucoup de temps pour allumer les Senior Service, et ensuite elles n'avaient pas leur goût normal. Il y avait peu d'activité dans le coin où il s'était abrité, sous le réseau de passerelles du château arrière, encorbellements arachnéens luisant de toute leur blancheur fraîche dans l'ombre. Les marins continuaient de ne pas le regarder, lorsqu'ils passaient près de lui pour se rendre d'un poste de travail à un autre, Garlonne lui-même ne parlait plus du tout, et le capitaine était toujours porté Achab. Peut-être aussi ne voyait-on pas Paul dans le noir, dans le roulis, dans la froide absence de repères. Beaucoup plus tard une lueur diffuse situa l'orient, dissolvant quelques premières étoiles. Puis le soleil émergea, découvrant Paul tout seul sur le pont du *Boustrophédon,* la crainte dans le cœur, une crainte ivre au cœur d'une grande fatigue. Ensuite il s'était accoudé à la rambarde du gaillard d'avant, considérant l'eau déchirée par l'étrave, s'étonnant de ce que ce déchirement éveillait en lui d'inusable, d'inépuisable intérêt, un intérêt presque réflexe, indéfiniment renouvelé par automatisme, proche de celui que procurent aussi le spectacle du feu, le spectacle de l'orage et le spectacle du passage des piétons.

23

Paul s'était résolu, enfin, à remonter dans sa cabine. Mais, le hublot ne s'aveuglant d'aucune sorte de rideau ou de volet, la lumière y était trop vive et il ne put dormir guère plus d'une couple d'heures. Il descendit sur le pont avant midi, trouva Garlonne assez vacant. Le second lui donna son point de vue sur la puissance du vent, l'état des eaux, la disposition des nuages et la scolarité de sa fille. Les autres aussi semblaient inoccupés, faisaient fonctionner le cargo comme sans y croire, comme s'il avançait tout seul. Ainsi leurs actions prenaient l'air accessoire – on roule un cordage, on arrime une caisse, on taille en pointe un bout de bois, on donne à Lopez un coup de main. On trouve toujours de quoi s'occuper. On ne voit toujours pas le capitaine Illinois.

On n'avait pas attendu, finalement, pour lever l'ancre, que Lopez eût fini de repeindre le château. Il poursuivit son travail en pleine mer. En fait il expédia quelque peu le dernier étage, y procédant juste par touches, posant des rustines d'antirouille là où pointait l'oxyde, avec un peu de peinture dessus. La partie haute de la superstructure était ainsi badigeonnée d'un blanc hétérogène, tout en repeints superposés comme un camouflage de tank polaire, conçu pour un conflit de boules de neige intercontinentales. Au bout de sa balancelle, Lopez actionnant sa poulie se déplaçait en ludion sur les flancs du château arrière. Il s'appliqua beaucoup à la remise

163

en état des hublots, spécialement celui de la cabine où Paul achevait de déjeuner seul, assis devant la fin d'un plateau-repas apporté par le jeune Gomez. Exagérément absorbé par sa tâche, le faciès inclément s'encadrait dans le disque au-dessus de Paul en train d'achever un fromage mal à l'aise. Paul prit un livre pour contenance, ses doigts graissant les pages, ses yeux glissant le long des lignes. L'âpre voix de Lopez sonnait de temps en temps, s'adressant à Gomez passivement accoudé à la rambarde en contrebas. Paul ne savait pas l'espagnol, encore moins quoi que ce fût des idiotismes cartagénois, mais, s'aidant abusivement d'une idée générale des langues du Sud, il parvint à se convaincre que son cas était évoqué.

Un peu plus tard, traînant sur le gaillard d'avant, il dut s'effacer au passage de Sapir qui transportait une chaîne d'ancre amoncelée, lovée dans ses bras nus allégoriques. L'homme à la tête de pelle passa sans paraître le voir, comme un bédouin averti dans une zone de mirages, comme si Paul effacé n'avait pas d'existence. Paul se fût senti bien seul si Darousset, à l'heure du thé, n'avait discuté un moment avec lui.

Darousset, poids coq soudanais, était originaire du point où se fondent en un seul Nil immense ses deux branches mères, l'éthiopienne bleue du lac Tane, la blanche kenyane de Victoria. Huit ans plus tôt, le premier bateau de sa vie l'avait emmené le long du fleuve jusqu'à Port-Saïd, recommandé à un cousin par un autre cousin. Hélas dans cette vaste ville il n'y avait plus du tout de cousin, ni d'argent pour rentrer, Darousset démuni s'embarqua sur un deuxième bateau, quelconque vracquier, et depuis d'un navire à l'autre il n'avait plus quitté la mer. Il profitait avec mesure des escales, méfiant des ports et des grandes cités depuis ce sale souvenir de Port-Saïd, n'aimant connaître du monde que ses mers et son village natal à la fourche du Nil. Un jour, son pécule assez constitué, il rentrerait au village sans plus rien vouloir faire d'autre que de nombreux enfants, jusqu'au bout. Paul encouragea le gabier dans ce plan de vie.

Lopez finit de peindre en fin d'après-midi, démonta son échafaudage et prit la relève du second à la barre, laissant sécher le travail. Mais les jours suivants tout ce blanc resterait poisseux, les mains colleraient aux rampes, jamais ce ne serait vraiment sec. On frappa à la porte de la cabine, Garlonne parut.

– C'est moi, rappela-t-il, ça vous dirait de dîner avec le capitaine ? Tous les trois. On causera, on pourra causer.

Pure clause de style que ce projet, Illinois de prime abord paraissant mutique. Il s'était mis à table avant leur arrivée, il mangeait lentement, avec des mouvements lents qui prenaient tout leur temps – tournant le singe dans son assiette pour assurer le meilleur angle d'attaque à son couteau, pelletant des lots distincts de légumes et de riz, tournant son verre sur lui-même, usant tauromachiquement de sa serviette. Voûté sur son manger en arc d'ogive obtuse, il décomposait ses mouvements au ralenti, réglés comme pour une démonstration. Comme Paul entrait dans le carré, Illinois leva les yeux vers lui du fond de sa barbe qu'il essuya, déployant la serviette en demi-véronique.

– Naturellement c'est l'ordinaire, s'excusa le second, mais il y a du gâteau. Naturellement du surgelé. C'est étonnant, le surgelé, ce qu'ils arrivent à faire maintenant. On ne marche qu'à ça, c'est bien commode. C'est un grand progrès pour nous. A terre, bien sûr, vous ne connaissez pas bien.

Certes si, assura Paul, le surgelé sans cesse gagne du terrain. Ah, fit Garlonne, je ne pensais pas que c'était à ce point. Donc on parla du surgelé un moment, puis des piles, par association. Le capitaine suivait des yeux les interlocuteurs, comme s'il devait lire sur leurs lèvres. Passé le gâteau, Garlonne se retira sans vouloir de café. Paul resta seul avec Illinois qui rajustait sa tasse dans sa soucoupe, prélevait un peu de mousse beige au bout de sa petite cuiller, poussa le sucrier vers lui.

– Longue traversée, dit-il enfin. Monotone traversée pour vous, non ? C'est un petit bateau, on n'est pas trop équipés. Le minimum.

– Je lirai, dit Paul. J'ai un peu de lecture.

– La lecture, répéta le capitaine pensif, la crise de la lecture. Dans la marine on lisait, dans le temps. Moi-même. On lit moins, à bord, on ne sait pas pourquoi.

A terre il en allait un peu de même, lui fit remarquer Paul, semblablement au surgelé, on en discuta donc. Le capitaine somme toute était doué de la parole, il s'expri-mait comme il se nourrissait : méthode et lenteur. Sa voix tournait comme une machine, un moteur bien réglé qui arasait quelque peu les pronoms, les articles, certains adjectifs. Vos caisses, au fait, toutes vos caisses. Il poin-tait un index entendu vers le fond de cale. Oui, dit Paul.

– Tout est en bas, bien au fond. Bien caché.

– La douane, fit Paul, pas de problèmes ?

– Que du feu, dit Illinois avec un souriant mouve-ment de pouce vers un point du monde où l'on se repré-sentait, outragée, l'institution douanière trépignant de rancœur.

– L'équipage, ils sont au courant pour les caisses ?

– Personne, il n'y a que nous deux. Prudence élé-mentaire, risques minimums. Même Garlonne, il ne sait pas ce qu'il y a dedans. J'ai dit des chaudières, des accessoires pour les chaudières. J'ai dit que vous êtes dans les chaudières.

Dès le lendemain, Paul rencontra l'ennui en mer tel que le second puis le capitaine l'avaient évoqué. Le tour du bâtiment était vite fait, l'océan perpétuellement semblable. A sa surface montèrent souffler deux cachalots, spectacle qu'il épuisa dans son moindre détail, puis cela redevint égal. Le ciel seul offrirait un peu de variété. Même lorsqu'il formait une parfaite unité bleue, pure toile de fond, scène vide, on sentait bien que les nuages patientaient en coulisse au-delà de l'horizon, préparant mille façons de ne pas rater leur entrée : par moutonnement eczémateux, par fils croisés, plaques tenaces, coulées, par zébrure ou par diffusion, se défaisant en fibrilles comme au contact de l'air, se tassant comme des menaces en forme d'organes d'où jaillissait la pluie. On les voyait légers, profilés, étincelants, ou bien graves et gonflés, lugubres, ou encore inconstants, indécis, flous – entrouverts ou déchirés. S'ils survenaient principalement par bandes, certains anachorètes ou francs-tireurs passaient aussi à d'autres altitudes sans se mêler, s'ignorant, tout enflés d'un dédain montgolfier. Parfois, sans prévenir, l'un d'eux se suicidait en soluté crémeux, se diffusant dans l'éther, laissant en souvenir de lui quelque nébulosité pellucide, flottant survêtement d'ange gardien.

Toute cette deuxième journée, Paul considéra donc le ciel – au point qu'il se plaignit le soir, au dîner, se serrant le crâne et se frottant les yeux. Débattant avec le capitaine d'un point de gestion du personnel, Garlonne tardait à réagir. Paul dut exagérer ses symptômes pour que le second se levât vers la pharmacie murale, une boîte en métal peint fermée à clef, contenant le minimum thérapeutique : beaucoup d'aspirine, quelques antibiotiques à large spectre et des rouleaux de bande Velpeau – rien contre les affections qu'on supposerait professionnelles, mal de mer ou mal du pays. Paul engloutit trois cachets d'aspirine, laissant Garlonne continuer à se plaindre : Lopez ne l'aimait pas, Lopez était par trop antipathique, même si dans le travail rien à dire.

– Ça met la sale ambiance à bord, déplorait le second. A peine si je peux lui adresser la parole.

– C'est votre affaire, Garlonne, dit le capitaine. L'harmonie à bord, ce n'est pas mon rayon. Ça fait partie de vos attributions.

Garlonne ouvrit l'autre volet de son malaise : contradictoire à ses yeux avec l'état de second, sa fonction accessoire de délégué de l'équipage lui pesait. L'enclume et le marteau, n'est-ce pas, ce n'était pas une vie d'être toujours entre ; est-ce qu'on ne pourrait pas trouver quelqu'un d'autre ? Comme Illinois haussait les épaules sans répondre, Garlonne se mit à bouder avant d'annoncer, sans regarder personne, qu'il préférait aller se coucher. Après son départ, le capitaine offrit à Paul de lui prêter sa casquette de rechange pour se protéger du soleil : trop grande, elle oscillait en équilibre instable sur les oreilles de Paul. Illinois lui montra comment resserrer la coiffe en repliant le ruban de cuir intérieur. L'ayant remercié, Paul sortit essayer tout de suite le couvre-chef sur le pont. Le soir, un peu d'air du large aidait à s'endormir.

Il effectua son tour de pont : c'était éteint dans la cabine du second, mais la lumière brillait encore chez les hommes d'équipage. Paul, jetant un coup d'œil par les carreaux de la chambrée, aperçut Garlonne qui les avait rejoints. Il discourait seul sans discontinuer, persuasivement semblait-il, Paul n'entendait pas ce qu'il disait. Près de lui, le jeune Gomez ainsi que Darousset l'écoutaient avec application ; Sapir lui-même paraissait attentif, assis un peu plus loin sur le rebord d'une couchette. Il continuait de toucher son nez, de flairer ses doigts qu'il se fourrait parfois dans l'une ou l'autre narine, caressant aussi leurs poils saillants, tirant sur l'un comme sur un filin. Il semblait mû par la nécessité d'établir une relation permanente, une manière de pont aérien entre ses sièges de préhension et d'olfaction. De quart au poste de pilotage, l'antipathique Lopez était absent. Le second, peut-être, évoquait sa fille aux trois autres, en des termes qui flattaient leur célibat forcé ; et les documents qu'il faisait glisser vers eux, sur la table jonchée de magazines scandinaves et de cartes à jouer, pouvaient être des photographies choisies de celle-ci, parmi les mieux appropriées à leurs rêveries.

— Tiens, lui dit Paul le lendemain matin, je vous ai vu hier soir, avec les autres. Je n'ai pas osé entrer.

— Ah, fit Garlonne en haussant le sourcil. Oui, le soir je les alphabétise un peu. Vous auriez dû, ajouta-t-il sans conviction, il fallait nous rejoindre.

Au soir du quatrième jour, ils essuyèrent un violent grain. Tous les nuages observés par Paul, tribus rivales de hautains cumulus, altostratus endogamiques et fiers cirrus qui l'avant-veille encore se tenaient en respect, soucieux de leur nébuleuse identité, tous s'étaient fédérés sous le menaçant pouvoir d'un seul gros nimbus absolu, opaque précipité qui se resserrait pour examiner le cargo de tout près, de toutes parts, réduisant l'horizon au diamètre d'un hula-hoop. On craignit.

Au mieux de son épaisseur ce nimbus éclata, fouettant le bâtiment d'une pluie immédiatement hargneuse, propulsant une grenaille de grosses gouttes drues pour le ronger, le percer, le détruire, cependant qu'un vent violent bouleversait les esprits, creusait des vagues aux vertigineuses façades. Affolé, le *Boustrophédon* se mit à verser dans tous les sens, sans que tangage ni roulis ne fussent plus repérables, tentant plutôt de se tordre sur lui-même comme un chat exalté poursuit vainement son arrière-train, parfois. La coque produisait de violents craquements douloureux, rageurs, couvrant toute voix. Contre le plat-bord, sur le pont, d'énormes blocs liquides explosaient en gerbes plus énormes encore, peuplées de poissons en équilibre instable, eux-mêmes au bord de l'inquiétude. A fond de cale, les timbres chinois hurlaient sans discontinuer, cramponnés aux guidons de toute la force de leur écrou. Bientôt les monstrueuses secousses ne se suivaient même plus, elles attaquaient toutes ensemble pour tuer jusqu'à l'idée d'une succession, faisant s'abolir le temps massé dans son apocalypse, à peine sous le choc le cargo tentait-il de se tordre qu'un autre choc déjà le pliait en sens inverse, au seuil extrême de la dislocation ; rien ne paraissait plus solide ni droit, y compris les idées dans les crânes.

Le capitaine, malaisément suivi du second, avait rejoint Lopez dans l'abri de navigation. D'abord ils tentèrent de maintenir un cap souple, au coup par coup en tâchant de négocier, de composer avec le tremblement de mer, puis les commandes devinrent inutiles, on ne pouvait plus les tenir ni même jeter un œil sur un cadran, les hommes se mirent à rebondir contre les parois, sans plus de libre arbitre qu'une balle de flipper emballée dans du ciré jaune. Garlonne parvenant à s'accrocher au gouvernail, son corps balaya un moment l'espace comme s'il s'agrippait à la queue d'un cheval fou, puis il lâcha prise et s'en fut se défaire parmi les cartes marines traversant l'air par longs accordéons ; ensuite il n'essayait même plus de se relever, glissait en wassingue sur le sol au gré d'un ordre aveugle.

Enfermé dans sa cabine, Paul tombait également sans cesse, en tous sens, bientôt ne s'y retrouvait même plus dans l'espace : les repères ordinairement constitués par le haut et le bas, la gauche ou le sud, se trouvaient abrogés par la tempête au même titre que le temps. Convulsivement il parvint à étreindre sa couchette, pris d'un hoquet chronique et s'y vidant de tout, vomissant jusqu'à ses organes dans un projet de vaste régurgitation de soi – son spasme parfois n'était pas même achevé qu'il se trouvait encore projeté à travers l'habitacle, son bol alimentaire décrivant derrière lui de longues gerbes courbes comme des poignées de grain. Ainsi roué de coups, Paul finit par perdre connaissance, brièvement il vit s'engloutir sa connaissance dans un profond liquide épais, obscurément visqueux, où seules voulurent bien surnager, maussades, quelques fonctions végétatives.

Ce qui se présenta sous ses yeux, lorsque nombre d'heures plus tard il les eut rouverts, était de prime abord une chose abstraite, et son cerveau eut un peu de mal à traiter cette information. Puis cela se rétablit : envisagés en torve contre-plongée, ce n'était que débris et déchirures d'objets, d'envers d'objets, traces de chocs d'objets sur d'autres, tous plus ou moins piquetés de nourriture plus ou moins digérée. Le bat-flanc s'était descellé de la paroi et le sommier brisé, répandu au milieu de la cabine, avait laissé fuir son matelas échoué dans la tourmente sur Paul inconscient. Le matelas pesait sur sa poitrine ainsi qu'un requin mort. Le reste de son corps se trouvait rencogné sous l'abattant désarticulé de la tablette, sa tête étant à moitié prise dans un sac bleu venu d'ailleurs.

A présent nul mouvement nulle part, comme pour

rattraper le mal. Au pochoir du hublot, un tuyau de lumière lisse formait un impeccable disque sur la cloison souillée. Nul bruit non plus, hormis les hypocrites vaguelettes claquant de toutes leurs langues contre la coque, paisiblement comme si rien ne s'était passé – c'était pour rigoler, allez, c'est fini maintenant, sans rancune –, laissant parfois monter quelque vague plus forte, bourrade affectueuse de l'élément bleu-vert, discret rappel de ce dont il est capable. Avec d'infinies précautions, Paul se mit en mouvement, traînant son corps plein d'hématomes vers la couchette démise, l'escaladant presque aussi facilement qu'un cheval.

Son mal de tête, sans commune mesure avec celui de l'avant-veille, se trouvait annulé par toutes les autres douleurs, partout. Paul n'était plus qu'un muscle unique, une vaste courbature. Sa conscience même lui faisait mal : l'avenir n'était guère plus souriant que le présent, ni rétroactivement la totalité du passé. Il resta allongé. Il eût aimé avoir sommeil. Il roula des idées négatives durant les heures qui suivirent, également traversées par la soif, la nausée, la faim, la chaleur contingentes, heures mortes où de nouveau toute durée s'abolissait. Il revint au gabier Darousset de rétablir la continuité des choses : lointaine, voletant depuis les altitudes de la superstructure, sa voix clamait à qui voulait l'entendre que Port-Saïd était en vue.

La ville poussait une clameur chaude vers la mer, au-delà des équipements portuaires. Dès l'accostage, les hommes avaient extrait des cales le bouquet de vélos enchevêtrés par la tempête, en s'aidant d'un palan. A peine remis de l'épreuve, exemplaire fut leur énergie à séparer puis réparer les cycles, avant de s'égailler dans la cité en vue d'y satisfaire quelques pulsions. Sur leurs engins, les marins passaient presque inaperçus. Plus pro-

172

che était l'Orient, plus naturel était le cyclisme, avant de s'épanouir en Asie où ce transport usuel permet de se fondre à peu de frais dans le corps social. Paul préféra ne pas se risquer en ville, restant à bord en compagnie des officiers. On sommeillait sous les casquettes, respirant la moiteur de l'estuaire au creux des transatlantiques dépliés sur le pont. Garlonne prodiguait des rafraîchissements.

– Je ne descends pas, dit-il en servant Paul, je ne descends pas souvent à terre. Mais c'est la petite qui aimerait ça, voyez-vous.

Il songeait à gratifier sa fille unique d'une croisière, à l'occasion du baccalauréat : dans cette perspective, quoi de mieux approprié que le *Boustrophédon,* quoi de plus économique et sûr ? Ainsi lui-même serait toujours présent pour lui expliquer les choses et lui montrer la vie. Au courant de ce projet, le capitaine temporisait, suspendant sa réponse à un fil dilatoire.

– Vous y avez repensé, au fait ? s'enquit le second.

Illinois mâchonna une difficulté : rien que des hommes à bord, n'est-ce pas, c'est un risque réel – mais nous verrons, Garlonne, on va réfléchir, on va voir. La fin de la matinée coula dans le calme avec quoi contrastaient, à terre, les cris et gestes fourmillants des dockers. Leur fébrilité décrut vers midi, puis l'idée de sieste fit son chemin dans tous les raisonnements, bientôt dévoyés par les rêves de puissance et d'amour.

Des cris subits vinrent crever la torpeur générale : à quai, le duc Pons agitait le bras en sautillant sur place ; derrière lui, Bob avait encore l'air fatigué. Tout de suite, le duc parla trop fort.

– Toute une affaire pour vous trouver, trépignait-il au débouché de la passerelle. Que de bruit, que de monde. Quel monde. Trois heures pour un renseignement. Enfin, nous voilà.

24

On était content de se trouver. Le capitaine congratulait le duc, le récit de la tempête impressionna Bob. Garlonne frottait des mains attendries devant l'animation soudaine, confit dans une émotion de marieuse ; il s'empressa d'aller quérir d'autres chaises longues et boissons fraîches.

– Bon, dit Pons, la ville on n'a pas vu grand-chose, on arrive juste. Peut-être on aurait le temps de jeter un coup d'œil, quand même. Les pyramides, par exemple, est-ce que c'est loin ?

Mais on repartirait le soir même, et le soleil fléchissait déjà : les hommes revinrent l'un après l'autre, fatigués mais contents, chacun sur son vélo. De très loin, on vit approcher Darousset qui pédalait à toute allure ; dressé en danseuse il franchit la passerelle sans freiner, comme un tremplin au bout duquel, après une brève hyperbole, son engin s'effondra dans le fracas. Garlonne courut relever l'acrobatique Soudanais dont chacun salua l'exercice : le jeune Gomez découvrait toutes ses dents, Sapir lui-même se déridait un peu, seul Lopez affichait un visage fermé. Il fait la gueule, soupira le second, il fait perpétuellement la gueule.

Deux cabines jouxtant celle de Paul furent attribuées à Bob et Pons, assez éprouvés dans l'avion par quelques zones de turbulence. Paul ne s'étant pas bien remis, quant à lui, des phénomènes symétriques de l'humide nuit dernière, tout le monde se coucha tôt. Ensuite la vie reprit à bord comme les jours précédents, vite lassante lorsque la mer se tient trop bien ; à trois l'on pouvait néanmoins recourir à des jeux. On se retrouvait au carré pour dîner, après quoi le capitaine ne refusait pas de faire le quatrième au stud-poker.

Tenant ses douze nœuds de croisière, le *Boustrophédon* enfila la mer Rouge après quoi le cap fut mis sur Colombo, prochaine escale. Rien de remarquable, rien de notable ne se manifesta : chaque soir, sur le livre de bord, les officiers contresignaient le néant. Quand même, de brèves altercations continuaient d'opposer Garlonne au timonier Lopez. L'une d'elles détona sur le gaillard d'arrière, juste au-dessous de la cabine de Bob où l'on tuait le temps à coups de dés, cinq dés dépareillés trouvés dans une cantine avec une piste offerte il y a longtemps par les établissements Byrrh et dont le feutre vert, racorni dans le jaune, pelait comme une pelouse sous la sécheresse. L'un de ces dés, sûrement pipé, donnait trop souvent le cinq mais on sut s'en accommoder, tournant l'obstacle par un système de coefficients dont on perfectionna d'autant plus minutieusement la mise au point qu'il pleuvait ce jour-là, on ne pouvait même pas sortir sur le pont ; après la tempête, ce fut la seule fois qu'il plut. De la monnaie cosmopolite faisait office de jetons.

Par le hublot entrouvert, des bruits de voix leur parvinrent donc au moment où le duc allait tenter un carré de quatre sur une base de brelan. Il suspendit son geste, on se regarda. Dehors, Garlonne parlait d'une voix plus énergique mais plus basse que d'habitude, on l'entendait surtout souffler entre les propositions, à quoi l'Espagnol rétorquait d'âpres diphtongues en deçà du sens. On n'y entendait goutte, sauf quand Lopez cria au second

d'aller se faire foutre à trois reprises, par roulements d'*r*
exponentiels. Puis les deux hommes s'éloignèrent, sans
doute séparément, le silence reconquérant le navire. Le
duc jeta deux dés : après leur brève chorégraphie, au
lieu du quatre convoité, un as parut en compagnie du
fréquent cinq.

– Le cinq, fit-il, donc je rejoue. C'est le cinq, je peux
rejoue.

– Non, dit Paul, on n'a pas dit comme ça. Ça te
donne juste un handicap sur le prochain coup, tu sais
bien, c'est ça qu'on a dit.

– Certes, se souvint le duc, mais au bout de huit
handicaps on a le droit de rejouer. Justement j'en avais
sept. Ça aussi, on l'a dit.

– On l'avait dit, oui, mais ensuite on a dit que non.

– Pourquoi non, s'indigna le duc.

– Parce que ça complique, fit Paul plaintivement, ça
complique beaucoup trop.

– Tu es déloyal, conclut Pons.

Ce qui devait rester inscrit dans les mémoires comme
l'événement majeur de l'odyssée du *Boustrophédon* se
produisit au soir du neuvième jour en mer, peu après
l'escale de Colombo. On avançait aimablement dans le
golfe du Bengale, la météorologie était au mieux. Pons
avait profité un moment, sur le pont, de la tendresse de
l'air avant de rejoindre Illinois. Paul et Bob arrivèrent
peu après, alors que le duc doublait l'apéritif ; le capitaine souriait avec douceur, on n'attendait plus que le
second pour dîner. Comme son retard se prolongeait,
on prit place autour de la table, Pons à côté de Paul.
Son verre vidé, le duc se resservit aussitôt, se tourna vers
son neveu :

– Tu crois que j'y vais trop fort, c'est ça. Tu trouves
que j'exagère, dis-le tout de suite.

– Je ne sais pas, dit Paul, tu bois toujours autant ?

– Tous les coloniaux, mon petit, tous les coloniaux.

La porte alors s'ouvrit sur Garlonne, qui ne rejoignit pas son siège aussitôt comme il y était accoutumé. Il restait immobile sur le seuil, on le regarda. Passé six secondes, on fronça les sourcils.

– La porte, voyons, Garlonne, dit Illinois. Et puis venez vous asseoir, ça va refroidir.

Observant une variété de garde-à-vous, le second ne réagit pas à l'invite. Une solennité voulait transpirer de sa personne comme pour un lever de couleurs. Il ouvrit la bouche pour parler, mais la salive manquait à ses muqueuses coalescentes, sa pomme d'Adam allait et venait à l'instar d'un yo-yo furieux ; il avait l'air fameusement ému.

– Je ne suis pas seul, parvint-il à produire. Il y a les autres qui sont là.

Sa voix véhiculait quelque chose de broyé, comme réduite à son résidu, filtrée par un vocoder. Il avança d'un pas, robotique ; Sapir en effet paraissait derrière lui, suivi de Gomez et Darousset qui paraissaient un peu effrayés par eux-mêmes. Garlonne râcla sa gorge déserte :

– C'est-à-dire qu'ils m'ont demandé, en tant que délégué – ils ne sont pas contents, n'est-ce pas.

Il s'interrompit, tirant de sa poche un papier. Le capitaine agita une main évasive.

– Allez-y, Garlonne. Exprimez-vous, mon vieux.

– De toute façon ce n'est pas tenable, soliloqua le second en tournant le papier dans ses mains. Je l'ai dit que ce n'est pas normal, en tant que lieutenant, de parler au nom de l'équipage. Je l'ai toujours dit. Enfin bon, puisque c'est eux qui veulent.

Tous regardaient Garlonne déplier son tremblotant

papier, hormis le jeune Gomez et Darousset qui ne donnaient pas l'impression d'être très concernés ; ils promenaient des regards curieux dans le carré des officiers, n'y étant entrés qu'une fois pour signer l'engagement. Dès que le second se mit à lire la liste des doléances après avoir bien toussoté, le capitaine parut surpris, glissant une main sous sa casquette pour se gratter pensivement le cuir. Paul secoua la tête lorsque Bob, interrogativement, se fut tourné vers lui – discret secouement latéral, synonyme adouci en langage non verbal du pivotement de l'index dans la fosse temporale. En effet, si les revendications brodaient sur des motifs classiques – solde, horaires, nourriture, sécurité sociale –, point n'était besoin d'être de la partie pour en discerner la tournure excessive, exorbitante sur certains points, s'aventurant hors de la juste mesure vers le seuil du système délirant. On était attentif, le duc avait posé son verre. Il le reprit machinalement, le reposa sans avoir bu.

Sa lecture achevée, Garlonne entreprit de replier le papier tout en prononçant quelques mots pour son compte personnel : bien sûr il s'associait, en tant que délégué, à ces exigences, bafouilla-t-il sur ce dernier mot. Pour sa part il n'en présenterait qu'une, qui était précisément d'être déchargé de ce statut de délégué, pour des raisons maintes fois exposées mais qu'il tint à rappeler. Il parlait avec plus d'aisance à présent, bien que sa voix vacillât quelque peu sur les accents toniques – curieusement il découpait mal certains mots pourtant courants comme si, ne les comprenant pas, il ne pouvait que les reproduire phonétiquement. De fait le second paraissait habité par une exaltation discrète, inhabituelle chez lui, couleur et squelette de sa péroraison. Un bref silence courut à la fin de ce discours ; le capitaine secoua de nouveau sa main, non moins évasivement.

– C'est exagéré, Garlonne, c'est très exagéré. Je suis bien d'accord, moi, je veux bien. Tout ce que vous voulez. Mais ce n'est plus de mon ressort, là, c'est avec la compagnie qu'il faut voir.

Voyant que son oncle se proposait d'intervenir, Paul posa une douce main dissuasive sur son avant-bras. C'est embêtant, disait Garlonne en baissant la tête, ils ne vont pas bien le prendre. Derrière lui, merveilleusement détendus, Gomez et Darousset semblaient surtout ne pas le prendre du tout ; un doigt dans le nez, Sapir considérait ses espadrilles. Garlonne rempocha son papier.

– Une petite ouverture, insista-t-il, un geste. Vous cédez sur un point, un tout petit point. Parfois l'esprit s'apaise avec un petit point.

– Ne soyez pas imbécile, fit le capitaine sans hargne. Dites aux gars de reprendre le travail et venez vous asseoir. C'est tout froid, maintenant.

Sans relever la tête, le second se remit à fouiller dans sa poche, d'où il finit par extraire un minuscule engin de quatrième catégorie, quelque chose comme un Browning Baby pour dames. Vérifiant discrètement qu'il le tenait dans le bon sens, il le dirigea vers Illinois, puis d'un mouvement circulaire vers les trois passagers consternés. Mais il n'avait pas l'air crédible avec son petit objet, on aurait dit qu'il voulait le vendre. Sa salive avalée : allons-y, fit-il non sans effort : instantanément des objets contondants fleurirent entre les mains de sa souriante escorte. Les passagers eurent un sursaut, mais Illinois remuait juste ses épaules et réglait sa visière en se retournant vers son assiette.

– Je me vois contraint, dit Garlonne d'une voix contrainte. Je prends le commandement, voyez-vous.

Illinois plantait sa fourchette dans le pâté, empalant sans répondre un demi-cornichon du même coup.

– J'ai l'équipage avec moi, développa le second, ça ne peut pas se discuter. C'est eux qui veulent, n'est-ce pas. On ne peut pas s'y opposer.

– Vous perdez l'esprit, Garlonne, mâcha le capitaine, vous me décevez énormément. Où est Lopez, au fait ?

– Il est avec nous, s'écria le second de plus en plus nerveux, Lopez est avec nous.

– De nos jours, fit le capitaine dans sa serviette, vous ne vous rendez pas compte, enfin. Vous n'avez plus aucune notion de rien. C'est de la mutinerie, ça n'a pas d'autre nom, c'est irréaliste. C'est complètement irréaliste.

– Je suis responsable, affirma l'autre aigûment, je prends mes responsabilités.

– Bon, dit Illinois, qu'est-ce que vous allez faire ?

– Vous restez là, proposa Garlonne, vous ne bougez pas de là jusqu'à ce qu'on vous débarque. Il ne faut pas qu'on nous empêche, expliqua-t-il, il ne faut pas nous empêcher. Il ne faut rien nous empêcher.

Il s'était rapproché de la table tout en parlant sur un registre sans cesse plus élevé, il agitait l'article pour dames à proximité de Bob qui se déplia brusquement vers lui, le déséquilibrant d'un coup d'épaule. Presque en même temps, Paul lui agrippait le poignet. Le capitaine se leva, suivi de Pons avec un temps de retard : Sapir et ses marins souriants se ruaient déjà sur eux. Brève confusion, puis on se répartit les rôles deux à deux, corps à corps. Le jeune Gomez ceinturant le duc, Bob entraîna dans sa chute l'homme à la tête de pelle. Comme il se relevait en désordre, il croisa l'œil égaré de Garlonne, l'œil noir de sa petite arme pointé vers Paul. Je vais tirer, piaula le second à l'adresse d'Illinois qui soufflait bruyamment, contenu par un double nelson du Soudanais. Garlonne cria puis la détonation retentit, bruit sec dans l'espace noir de monde, qui se figea un instant. Personne n'étant touché, on se reprit, on se rempoigna par couples en s'efforçant de se rapprocher de la porte, comme des amants valseurs tournent insensiblement vers la terrasse obscure pour aller soustraire leur étreinte aux regards indiscrets du monde.

25

Le pugilat se poursuivit sur le pont. Garlonne s'étant remis à tirer, capitaine et passagers refluèrent tant bien que mal vers l'escalier du château arrière, grimpèrent en vrac la spirale métallique menant à l'abri de navigation. On s'y rua, puis on en verrouilla la porte ; on souffla.

– Lopez, fit Illinois, qu'est-ce que vous faites là ?

Sa voix sonnait dans une curieuse sévérité. Le timonier ne répondit pas. Il se tenait à son poste, debout devant les manomètres. Dehors, les mutins commencèrent de cogner derrière la porte en fer.

– Vous n'êtes pas avec eux ?

Lopez ne répondit pas plus : il continuait d'assurer sa fonction. On ne saurait pas s'il agissait ainsi par légalisme ou seulement par antipathie à l'endroit du second. Vous gardez le cap, commanda le capitaine en se dirigeant vers la radio, on va faire un appel. Il prit place devant le poste. Assez vite on avait cessé de vouloir enfoncer la porte, on ne cognait plus. On avait dû redescendre.

Il apparut que l'émetteur était hors d'usage, ne fonctionnant même plus comme récepteur. C'est cassé, dit le timonier, le nègre était de quart avant moi. C'est sûrement lui. Mesurez vos propos, Lopez, je vous prie, fit Illinois d'un ton préoccupé qui s'aggrava d'un cran lorsque, trois étages plus bas, les moteurs vinrent de s'interrompre.

Sapir avait stoppé les machines, aux vibrations si régulières ordinairement qu'on ne les entendait plus, qu'elles s'effaçaient d'elles-mêmes. Maintenant qu'on ne les entendait vraiment plus, c'était leur absence qui assourdissait. Il en va de même avec une dent qu'on a perdue (développons), le volume de sa place vide surprend, il est énorme, sans rapport avec la taille qu'on prêtait à cette humble dent qu'aussitôt l'on regrette, que post mortem on se prend à découvrir, qu'on se reproche de n'avoir pas assez brossée du temps de sa splendeur et qui finit par occuper bien plus d'espace que lorsqu'elle était là, même si on la garde aussi dans une petite boîte (stop). Le capitaine jeta un coup d'œil vers le pont, du côté de l'ancre : les insoumis ne se disposant pas à la jeter, le *Boustrophédon* commençait de dériver sur l'eau foncée, vers le cœur écumeux de l'océan Indien. Nous voilà propres, répéta Pons.

Bien qu'ils n'eussent plus d'utilité, Lopez gardait sa place devant les instruments de navigation, répartis au-dessous du long rectangle vitré qui donnait sur l'avant du navire. Près de lui, le capitaine regardait le pont vide, la mer autour, la nuit tombée ; de la lumière parut dans la chambrée. Entassés sur le sol de l'abri, les trois passagers dormirent peu.

Ils étaient tous debout devant la vitre dès la première naissance du jour, sous une lumière télévisuelle grise, bleue, pas assez définie, mal à l'aise dans ce format de cinémascope. Il faisait déjà chaud lorsqu'un peu de bruit commença de monter du pont : les rebelles s'étaient levés tard, hésitant peut-être à sortir de la chambrée. Se sachant observés, ils montraient en effet une insincère aisance, un triomphe maladroit, Garlonne sortit le dernier en rajustant son uniforme. Ils traînèrent sur le pont toute la matinée sans pouvoir masquer leur oisiveté forcée, ni le désarroi léger où celle-ci les plongeait. Quoique s'efforçant de ne pas voir les assiégés qui s'alignaient derrière la vitre du poste de pilotage, tôt ou tard ils cédaient, lâchaient un bref coup d'œil vers la superstructure, irrépressiblement. Ils regardaient la mer, ils regardaient leurs mains, Garlonne leur proposa quelques tâches dérisoires, trop vite achevées vu leur immense bonne volonté.

A l'étage on se concerta : la situation était bloquée. Les uns contrôlant les machines dont les autres détenaient les commandes, chaque camp se trouvait neutralisé, riche comme de la moitié du même banknote. Il faut attendre, dit Illinois, on va attendre. Conférant dans la cabine du second, Garlonne et Sapir tiraient semblables consigne et conclusion. Comme la chaleur montait sur le navire figé, on soufflait parfois de part et d'autre, on s'épongeait le front en se plaignant. Entre les forces antagonistes il y eut un seul échange, assez bref, lorsque Lopez cria quelque chose d'espagnol à Gomez, l'exhortant sans doute à rallier l'ordre et la loi. Le matelot lui répondit sans se retourner, d'un mot de très peu de lettres qui fit rire aux larmes Darousset. Aidé de Sapir, le gabier nilotique fixait des lignes de fond un peu partout autour du bâtiment.

Cela dut mordre vite, car au bout d'une heure une grosse buée de friture enveloppait le cargo, se répandait à la surface des eaux, faisait naître et cruellement croître l'appétit puis la faim des assiégés ; en revanche, percevant au passage l'affreuse odeur contre nature, quelques poissons volants se renfouirent précipitamment dans leur milieu. Bientôt le duc aussi ne voulut plus regarder le pont où pique-niquaient les mutins effrontés, levant leurs verres à leur santé ; pour conjurer ses crampes, il choisit de s'endormir.

Cependant leurs excès paraissaient affaiblir les marins, le jeune Gomez allait de plus en plus lentement renouveler les bouteilles. Garlonne se retira dans sa cabine, confiant sa petite arme à l'homme à tête de pelle. Celui-ci paraissait d'une vigilance moindre, et les deux autres tendaient à s'assoupir. Ce serait peut-être le moment, suggéra Bob, vous ne croyez pas ? Lopez posa sur lui son regard peu amène. On va attendre encore un peu, dit Illinois.

Une longue demi-heure plus tard, les hommes d'équipage gisaient tout engourdis dans les transatlantiques réquisitionnés, se laissant frire à leur tour sous le rayonnement tropical. Dérivant en silence, jonché de rêveurs rassasiés, le navire se faisait Hollandais ronflant, radeau d'une Méduse repue. Sur un geste d'Illinois, Bob déverrouilla la porte de l'habitacle.

Suivant Lopez qui allait en éclaireur, une bonne barre de fer à la main, les trois hommes enjambèrent avec douceur Pons endormi – on ne semblait pas juger son aide indispensable. Puis sur les pointes ils descendirent les volées en spire antidérapante ; moites à l'excès, les mains collaient quand même toujours un peu à la rampe blanche. On se regroupa contre la rambarde du gaillard d'arrière, sous le pavillon détendu. Un plan simple fut préconisé : au signal d'Illinois, surgissant babord et tribord simultanément, Lopez et le capitaine circonviendraient Sapir et le désarmeraient, Paul et Bob neutralisant cependant les deux autres ; trois dormeurs ne tiennent pas devant quatre affamés. Allons-y.

Tout de suite il fut trop tard pour reculer, tout de suite on était pris au piège : dès le signal du capitaine, avant même que Lopez eût réagi, les trois mutins sautèrent sur leurs pieds dans des poses agressives, tout de suite ils attaquaient. Sapir élimina Lopez en empoignant sa barre de fer par l'autre bout, détournant par-dessus lui l'élan du timonier qui décrivit une courbe de Gauss tête première avant de s'immobiliser au pied d'une manche à air. Sans transition, l'homme à la tête de pelle tirait Illinois par le poignet, coinçait son épaule par une clef, compressait son larynx du bras gauche et le capitaine commença de suffoquer. Sous ses yeux, mieux entraînés que Bob et Paul, le jeune Gomez et le gabier soudanais portaient à ceux-ci des coups de plus en plus avantageux ; le rire de l'un déflagrait par grappes, les sourires de l'autre étincelaient. Ils se battaient plus techniquement, efficaces comme des doublures, Bob rendait au poids coq à peine un coup sur trois, Paul ne cherchait plus qu'à parer ceux du bel indifférent brun. Comme Garlonne surgissait à la porte de sa cabine, Sapir lui lança le Browning Baby, libérant un instant la trachée d'Illinois. Garlonne rata l'objet qui tomba sur son pied, il grimaça en le ramassant puis le brandit vers la zone de combat en souhaitant d'une voix haute que tout cela cesse, que tout cela prenne fin. Comme on ne tenait pas immédiatement compte de ses vœux, il se remit à tirer ; on se jeta tous à plat ventre.

Les impacts, les cris brefs avaient réveillé Pons en sursaut. Derrière la vitre du poste de pilotage, il considérait anxieusement la victoire des mutins. Ceux-ci, vite relevés, maintenaient en jubilant leurs ennemis couchés. Le duc, on ne semblait pas vouloir s'occuper de lui, peut-être l'oubliait-on dans le feu de l'action – il y aurait sinon quelque chose d'humiliant. Pons vit le second braquer en triomphe son petit canon sur Illinois. Il ne l'entendit pas chanter doucement que c'était lui qui gouvernait le navire à présent, qu'il saurait gouverner sa vie aussi, qu'il parcourrait le monde avec sa fille, et que c'était là le bonheur et que c'était enfin là. Le récitatif de Garlonne égayait les plus jeunes en train de ligoter l'ennemi, saluant les points forts du délire en s'exclamant, en resserrant les nœuds. Ça marche, cria Darousset, ça marche ça marche. Sapir ficelait silencieusement Lopez, les yeux dans les yeux.

Garlonne chantonnait donc, plein de lui-même, sa poitrine enflée d'un bonheur inconnu, les choses lui paraissaient inhabituellement en relief, lui-même était le plus puissant des reliefs. Il eût aimé s'élever, sortir de soi, prendre un bain. Une énergie sans exutoire grouillait en lui, une soif d'agir encore l'essoufflait, pesait sur sa gorge, faute de mieux il brandit le Baby, son doigt trembla sur la détente : un projectile s'en fut, achevant sa parabole en clapotis. Le second regarda les autres puis l'arme, avec un large contentement, puis un reflet de soleil lui vint dans l'œil, de haut, sur la vitre derrière laquelle Pons avait peur. Garlonne visa, tira sur le reflet sans distinguer le duc qui se jetait par terre, sous un ruissellement de securit. Puis il n'y avait plus qu'une balle dans le chargeur, il ne savait qu'en faire. Il y avait un nœud dans le bois du pont, à ses pieds, le nœud sauta comme un bouchon, Garlonne était content, son arme vide, sa conscience vide aussi, toute chose était claire et tout était gagné malgré ce bruit de planches.

Un nouveau bruit retentissait sous le pont, vers le milieu du bâtiment, un violent bruit de longues planches. Puis aussitôt, d'une écoutille, parut un fusil Armalite tenu par un bras fort suivi d'une grosse épaule, d'un large thorax et le reste à l'avenant, dans un bruit stéréophonique de caisses brisées comme si tout cela sortait de plusieurs caisses en même temps. Charles, cria Pons à travers la vitre brisée. Mais Charles n'entendait pas, tenant d'une main son fusil braqué vers les mutins, l'autre main sur ses yeux aveuglés par dix jours de nuit, écartant l'un après l'autre ses doigts pour essayer de distinguer quelqu'un dans cette lumière.

26

C'est mademoiselle Odile Otéro qui aura trente-neuf ans le 26, qui a conservé l'appartement de sa mère, qui n'a pas changé le papier peint. La semaine elle tape des devis chez Kosmos-Auto, et ses congés se passent parfois chez des cousins de Pontault-Combault. Chaque vendredi, entre loto et yoga, elle retire huit ou neuf cents francs à l'agence N proche de son domicile.

Répétitif destin, long visage blanc que ceux d'Odile Otéro, sous un fatras de gros cheveux gris-jaunes très denses ; son maintien général dénote l'inassouvissement. Dans la poche de son manteau se trouve un opuscule publié à Monaco, intitulé *La porte secrète menant à la réussite* et recouvert de papier kraft ; Odile a honte de cet ouvrage, mais aussi honte de son manteau. Elle s'est sentie mal dès l'enfance, dès qu'à l'école on l'a nommée Double zéro. On l'a moins embêtée chez Pigier, puis chez Kosmos on ne l'a plus remarquée, tranquille comme une morte enfin. Suicidée trois ou quatre fois, elle a également couché avec neuf hommes depuis l'âge de vingt-trois ans, avec certains d'entre eux plusieurs fois de suite, pourtant elle recommencera.

Vendredi, Odile Otéro a poussé la porte de l'agence N, signé son chèque à l'ordre de moi-même, présenté son numéro de caisse. Exagérément virtuose, le caissier compte les coupures un peu trop vite pour elle, qui n'ose les recompter devant lui de peur de le vexer, ni les recompter dans la rue de peur qu'on les lui vole. Aussi le faisait-elle discrètement, dos tourné à la caisse, tout en marchant vers la sortie de la banque, bien que ce compte furtif ne la satisfasse pas non plus, lorsque deux martiens ont pénétré dans l'agence d'un pas décidé.

Verdâtres martiens : menton dentelé, nez fusiforme, antennes excroissantes, absence d'oreilles, pseudopodes à foison qui tremblotaient dans le mouvement. Ils n'ont pas eu besoin de parler ni de montrer mieux leur matériel, tout était d'emblée parfaitement clair. Derrière eux, un troisième personnage plus grand, vêtu de plus pâle, portait au bout d'un cou naturellement long une figure de héron : à l'abri du bec démesuré, Odile Otéro n'a distingué de son visage que des dents fausses entre des lèvres grises. Il lui a semblé que ce héron exerçait de l'ascendant sur les hommes verts.

Le jeune martien de taille moyenne, celui qui portait le sac de sport, s'est dirigé vers la caisse pendant que son compatriote surveillait le mouvement de la rue par la porte en verre. Sur un signe sec du héron, tout le monde s'est jeté par terre avec ferveur. Le jeune homme vert a posé le sac de sport devant la cage pare-balles, l'a ouvert, en a retiré un canon scié dont il a introduit l'orifice naturel dans le guichet, sans un mot – comptant sans doute sur le caissier, préparé de longue date et à l'aide de stages à pareil scénario, pour n'avoir pas besoin d'explications complémentaires. Le salarié s'est aussitôt mis à l'ouvrage, comptant encore plus vite que d'habitude, cessant même de compter lorsque le canon scié s'agitait. Non loin d'Odile Otéro, une vieille dame répandue s'est mise à pleurer silencieusement sous la tente effondrée de ses vêtements. Comme elle se disposait à donner plus de puissance à ses sanglots, le héron a freiné son essor d'un coup de talon nerveux.

Une fois le trésor transféré, le caissier a repoussé le sac vers le martien. Celui-ci a jeté dedans un bref regard, puis a posé son canon sur le matelas de liasses au fond du sac, qu'il a zippé. A ce moment précis, son homologue guettait toujours la voie publique et, de son bec irrité, leur chef menaçait de picorer la vieille dame. S'avisant que le porteur du sac de sport se trouvait désarmé, un jeune cadre bancaire inconscient, peut-être las de son état, a voulu se jeter sur lui : aussitôt, le héron a fait feu. Tout le monde par terre a cru que c'en était fini de tout mais le projectile a raté le banquier, préférant se loger dans le bras droit d'Odile Otéro qui a poussé un grand cri, et le banquier retombé a aussi poussé un très grand cri quand l'aîné des extraterrestres a couru poser le pied sur sa figure.

— On reste couché, a crié le héron comme un début de panique animait le sol. A plat ventre, nom de Dieu.

Les gangsters ensuite refluaient synchroniquement vers la porte de la banque. Plankaert était sorti le premier, ôtant son masque dans le mouvement. Il courut vers une Peugeot laissée en double file devant l'agence, mit le contact dans le claquement des portières. A deux métros de là, dans le parking souterrain d'un immeuble, ils abandonnèrent la Peugeot pour une Alfasud verte immatriculée dans le Rhône, qui les fit traverser Paris vers le sud-est. Van Os, dans l'Alfa, blâmait Toon de son imprudence :

— Mais tu te rends compte de ce que tu fais ? Tu remets le truc dans le sac et puis tu fermes le sac. Est-ce que tu te rends compte ?

— Bon, dit Toon, on s'en est tiré.

— On s'en est tiré, tu en as de bonnes. On a la chance de se faire prêter un truc qui marche, et toi tu le remets dans le sac. Tu vois un peu ce qui aurait pu se passer ?

Mais quand cesseras-tu d'être à ce point idiot ? Jamais, peut-être. Peut-être que tu as un ver dans le cerveau, qu'est-ce que tu en penses ?

Toon évita de répondre, tassé sur la banquette arrière qui l'absorbait presque entièrement. Plankaert, au volant, ne voulait pas prendre parti. Le chef cessa d'ailleurs assez vite de s'énerver. Bon, dit-il, c'est vrai qu'on ne s'en est pas trop mal tiré. Il se mit à jouer avec son masque, introduisant l'extrémité du bec dans une de ses narines, distraitement, puis dans l'autre.

– Qu'est-ce que vous croyez, pour la fille ? demanda Plankaert.

– Le bras, je crois, dit Van Os. Peut-être l'épaule, grimaça-t-il, ou le coude. C'est embêtant, les articulations.

Ce ne serait que le bras, mais Odile Otéro souffre quand même beaucoup. Heureusement que tout le monde s'est tout de suite beaucoup occupé d'elle, en particulier le jeune cadre bancaire suicidaire ; les soins prodigués par le jeune cadre bancaire irriguent de morphine le bras d'Odile, tartinent de miel son destin sec. Nul doute qu'elle-même et ce cadre veilleront désormais l'un sur l'autre à jamais, qu'ils se rendront mutuellement le goût de la vie, c'est le début d'une autre histoire assez émouvante mais pour l'instant l'Alfasud freine en plein Kremlin-Bicêtre, devant une grande surface d'articles de sport. Toon descendit de la voiture.

– Il faut vraiment que j'y aille tout de suite ?

– Et comment, dit Van Os. Et tâche de te débrouiller mieux avec Tomaso, cette fois. A demain.

Par des voies toujours renouvelées, Van Os et Plankaert avaient ensuite rejoint leur abri ferroviaire près de Château-Thierry. Autodidactes formés pour ainsi dire sur le tas, ils y comptèrent la monnaie beaucoup plus lentement que le caissier. Soirée de routine : Plankaert rétablit l'argent en trois piles inégales, prit celle du milieu puis brancha le téléviseur portatif ; déjà Van Os s'occupait du repas, découpant en jetons des cœurs de palmier.

Le lendemain, Van Os s'éveilla vers sept heures puis il sortit de la maison, ouvrit le portail du garage où le 4 × 4 et l'Alfa patientaient côte à côte, rosés dans les vapeurs d'oxyde froid. Manœuvrant le véhicule tout terrain, il franchit le cadavre de ballast pour rejoindre la départementale qu'il se mit à suivre vers la forêt proche, sans autre but que celui de faire un tour, au mépris de ses propres normes de sécurité. Mais on était en semaine, si tôt le matin les bois seraient vides : nul chasseur, nul gymnaste, nulle famille dévorant sur une bâche des sandwiches aux insectes, nul couple d'amants garé en catastrophe derrière les vitres embuées. Van Os s'y laissa dériver un moment parmi les chemins, au fil des embranchements, puis il voulut se donner de l'exercice ; enclenchant les quatre roues motrices, montant le volume de la radio, il vira brusquement dans les sous-bois accidentés. Sous les molles syncopes d'un calypso, il se trouait un passage entre les arbres en sautant ceux qui étaient couchés, grimpant ou dévalant jusqu'à cinquante degrés de pente, patinant sur les mousses et dans les boues spongieuses. C'était excitant, les branches basses fouettaient la tôle, les branches mortes la griffaient, les ronces la mordaient, Van Os sentait tout cela dans son corps propre, jusqu'aux brûlures des orties écrasées.

Il freina pile au pied d'un charme, comme un bulletin d'informations faisait état de l'attaque de l'agence N, la veille : Van Os guettait les commentaires avec un trac de couturière. L'homme dans le poste rendit sobrement compte de l'événement – opération traditionnelle et

192

bien enlevée, sans innovation technique notable, facture néoclassique si vous voulez. Van Os repartit plus lentement, son allure était plus distraite, sa conduite moins sportive ; longeant une fondrière, il faillit verser dedans. Il n'était plus d'aussi bonne humeur, il sinuait moins, il se retrouva bientôt hors des limites des bois.

La lisière était bordée de vallonnements arables, au loin des hommes tournaient sur des tracteurs. Van Os rebroussa chemin dans le couvert, sachant précise et profonde la mémoire paysanne, et ne souhaitant pas s'encombrer de témoins de sa présence dans le secteur. Ralliant le réseau de voies forestières, il s'égara deux fois avant de retrouver sa direction. De l'extérieur, vérifia-t-il, la petite gare paraissait tout à fait inoccupée. Une légère motocyclette 125 encore tiède encombrait le garage, il dut la déplacer pour garer le 4 × 4. Il referma le portail du garage, ouvrit la porte de la maison. Plankaert dormait encore à l'étage mais Toon, debout au milieu de la pièce, regardait le téléviseur de haut, sans le son. Il n'avait pas enlevé son casque ni son manteau, ni l'un de ses gants.

— Il se fout de nous, Tomaso, dit-il aussitôt.

— Tu pourrais dire bonjour.

— Excusez, vous avez bien dormi ? Je n'avais jamais vu ces programmes du matin, ça doit être dur pour les types qui présentent. Je ne pourrais pas, moi, de si bonne heure. Il s'est bien foutu de nous.

— Explique, dit Van Os.

— Je l'ai su par Briffaut. On aurait pu le voir avant, Briffaut, il gagne à être connu.

— Au fait, dit Van Os.

— Il a été livré il y a quinze jours, Tomaso, une grosse affaire, des choses de combat et tout. C'est reparti presque tout de suite, on ne sait pas où. Ce qu'on sait, ce

193

que Briffaut sait, c'est que Bergman passait souvent avant, et plus du tout après. Ils se sont foutus de nous. On n'est plus dans le circuit, maintenant.

L'œil ailleurs, Van Os se gratta longuement à travers sa poche. Toon s'était retourné vers l'écran silencieux. On entendit Plankaert au-dessus qui se levait, ses pieds nus faire grincer le plancher, puis le cliquetis d'une ceinture avec un peu de toux, une plainte involontaire, le cri du robinet, les pas dans l'escalier. Il parut, nouant sa cravate sous son menton gonflé, ses cheveux humides peignés en arrière luisaient comme des fils de réglisse. J'ai entendu, dit-il comme Toon allait parler, j'ai compris.

– On est obligés de faire quelque chose, dit Van Os en retirant sa main de sa poche pour l'examiner. Il faut réagir vite dans ces cas-là, sinon le pli est pris. Ensuite on oublie le respect, on ne vous parle plus, et pour finir on vous balance. Ça pourrit les situations. On va faire un exemple, d'abord, on va vérifier l'huile.

Aidé de Plankaert il inspecta toutes les humeurs des véhicules, l'essence, le lockheed, l'eau, l'air dans les pneus, la transparence des glaces, l'angle et la réflexion juste des rétroviseurs.

– Je pars avec le petit, dit-il, prenez l'Alfa. Vous essayez encore de voir pour Bergman. On se retrouve à la Bourse pour déjeuner.

– Bon, dit Plankaert.

– Vous voulez que je conduise ? demanda Toon.

Van Os n'avait pas répondu. Van Os n'avait rien dit jusqu'à Paris. Toon regardait le paysage sans parvenir à s'y intéresser : au-delà d'accotements gris-vert, des cultures peu variées se développaient sans détail, de rares maisons paraissaient vides, leurs chiens ne tenaient à rien, ces chiens ne savaient même pas ce qu'ils gardaient. Préfaçant la banlieue, quelques premiers hangars ne semblaient rien contenir non plus ; puis cela se remplit, de plus en plus de choses parurent, avec davantage de monde pour les transporter.

– Tu crois que c'est ouvert ?

– Quoi, sursauta Toon.

– Tomaso, dit Van Os, tu crois qu'il est ouvert à cette heure-ci ?

Oui, Tomaso tuait déjà le matin frais dans son magasin surchauffé. De fins ruisselets de sueur couraient au fond des lignes de sa main. Régulièrement, le soldeur retroussait les pans de sa blouse grise pour essuyer ses paumes sur les cuisses, lustrées par l'usage, de son pantalon. Il essuyait aussi son verre de montre avec un coin de sa blouse, il essuyait encore les objets exposés avec un chiffon bleu.

Les grelots tintèrent lorsque Toon parut, se dirigeant aussitôt vers l'arrière-boutique sans un regard pour Tomaso qui l'entendit verrouiller la porte du fond. Van Os apparut à son tour, derrière lui Toon verrouillait maintenant l'entrée principale. Van Os tourna un peu parmi les appareils, les inspectant d'un air fatigué, avec ce détachement critique déjà de mauvais augure chez un client normal. Tomaso toussa. Van Os leva un regard vers lui. Monsieur Van Os, dit Tomaso, vous auriez besoin de quelque chose ?

– J'ai toujours besoin de quelque chose, répondit Van Os.

– Naturellement, dit Tomaso.

– Je ne sais pas. Je me demande si c'est bien normal, quelquefois, cette espèce d'appétence perpétuelle.

– C'est humain, abonda Tomaso, nous sommes ainsi.

– J'ai peut-être manqué d'une chose importante dans

mon enfance, je ne sais pas. Je ne me souviens pas, l'amour.

– Allons, produisit Tomaso, comment se pourrait-il.

– C'est une question que je retrouve tout entière à l'âge adulte, développa Van Os. Croyez bien que j'en souffre. Par exemple vous ne m'aimez pas, je le sais. J'en souffre. Vous vous moquez de moi, aussi, je ne puis le supporter.

– Mais jamais, se crispa Tomaso. Jamais de la vie.

– Je n'ai rien d'autre à dire, conclut Van Os.

Le soldeur se sent aussitôt agrippé, basculé, retourné, jeté puis cloué au carrelage par le genou pointu de Toon, contre un congélateur inaccessible au regard extérieur des chalands. Le soldeur vient de perdre son béret. Un gros morceau de métal commence à tiédir très lentement contre sa nuque. S'ils me tuent, se dit-il, j'aurai fait toutes ces cures thermales pour rien. Est-ce là son ultime pensée ? Est-il concevable que la dernière idée d'une vie soit à ce point triviale ? Non. Cette réponse qu'il se donne le rassure un instant.

Trois heures plus tard, pendant que Toon était allé se laver les mains, Van Os analysait le menu. Place de la Bourse, l'heure de pointe bondait la brasserie de cambistes qui s'interpellaient dans leur langage chiffré. Un essaim de pourcentages obscurcissait l'espace.

– Paupiettes pour moi, dit Plankaert. Il n'y a plus personne chez le copain de Bergman. Tout est fermé. Je suis entré, pour voir. Le gaz est coupé, le courant, tout. Ils ont l'air partis pour un moment. Qu'est-ce qu'on fait ? Qu'est-ce que vous prenez ?

– Je ne sais pas, je ne sais pas, dit Van Os.

Etudier la carte en même temps que la situation le troublait. Cela s'annulait.

– Mieux vaut laisser tomber, préconisa Plankaert.

– Non, dit Van Os. Bergman, je veux lui faire du mal. Je suis humilié, comprenez-vous, je me sens exclu. Je ne pourrai le supporter. Ma décision est prise. Qu'est-ce qu'il fait, l'imbécile ?

Il revenait en soufflant sur ses mains.

– Tu vas tâcher de trouver la fille, lui dit Van Os, j'ai décidé de la kidnapper. Tu téléphones ici dès que tu as quelque chose, tu me demandes au nom habituel. On ne bouge pas, nous, on attend que tu appelles.

– Mais, dit Toon, je croyais qu'on mangeait.

– On mange d'abord, établit Van Os, et toi tu manges après. Ou prends-toi un sandwich au bar, en vitesse. Allez.

– Mais j'ai faim, dit Toon, j'ai très très faim.

– Ne m'énerve pas, dit Van Os. Paupiettes également.

Celles-ci ingérées, l'affluence pétillait moins vivement dans la brasserie, le tohu-bohu se décaféinait. Arrondis par le côtes-du-rhône, les taux d'intérêt claquaient plus mollement dans la fumée des cigarettes légères. Van Os, un rien gourd, n'entendit pas la voix de l'homme à la caisse qui s'élevait sans puissance apparente, quoique perceptible à longue distance comme savent le faire les comédiens : on demandait monsieur Schmidt, monsieur Schmidt, monsieur Schmidt au téléphone.

– C'est pour vous, dit Plankaert.

Van Os essuya ses doigts encollés de munster, ses lèvres auxquelles tenait une unité de cumin. Il se déplia en grinçant. Toon appelait d'une cabine proche du square Trousseau, au coin du Faubourg-Saint-Antoine et de la rue Charles-Baudelaire.

– Elle est chez elle, ça n'était pas bien dur. L'autre fille je ne sais pas, mais elle je l'ai vue, elle est là, vous m'entendez ? Vous êtes content ?

– On va venir, dit Van Os, tu ne bouges pas.

– Vous en êtes où ?

– On arrive. On prend le café, on arrive.

– Ça va, souffla Toon, j'ai le temps de prendre un petit quelque chose. Il y a un bistrot juste là, banquettes rouges, petit salé lentilles, je vous attends là.

– Non, dit Van Os, tu ne bouges pas.

– Mais vous aviez dit. Vous aviez dit.

Tout ne fut pas réglé cet après-midi-là, qui ne fut qu'une répétition de l'action à venir. Tout sera vraiment réglé dans quelques jours, lorsqu'on sortira de Paris par la porte d'Orléans, à bord de l'Alfasud dont le coffre aura paru mieux approprié au transfert de Justine. Plankaert conduira (on va où, au juste ?), Van Os auprès de lui consultera la carte (on change de planque, j'ai trouvé mieux), Toon à l'arrière boudera. Toutes les minutes, prenant un gros élan, Toon projettera ses mâchoires vers un sandwich bourré de feuilles de salade, de lames d'emmental, de tranches de jambon qui dépasseront du pain oblong comme du papier pelure d'un dossier mal classé. La voiture verte quittera l'autoroute à Nemours pour sillonner une rase campagne avec un ciel immense, américain sur le dessus. Le paysage entièrement plat donnera tout de suite sur l'horizon, on distinguera de très loin les rares constructions qui feront signe sur son fil, sur sa ligne, ainsi pourra-t-on lire un texte calme scandé de fermes ponctuelles, d'étangs soulignés, de bourgs en suspension, de châteaux d'eau exclamatifs.

27

Comme Charles n'avait plus rien à se mettre, le capitaine qui était de corpulence voisine lui proposa son uniforme de rechange – mais, quoique seyant, Charles ne se sentait pas à l'aise dedans. On finit par lui trouver de quoi s'habiller dans les affaires de Sapir. Il s'installa dans la cabine du second.

Une fois neutralisés, on avait entravé Garlonne et les trois autres dans un coin de la cale que l'on mura à l'aide de caisses de tuiles. Le second ne cessant de geindre en songeant à sa fille, qu'adviendrait-il d'elle à présent, Illinois laissa entendre qu'il jetterait un coup d'œil sur ses bulletins. Sous leurs liens, les jeunes Gomez et Darousset demeuraient d'une humeur égale, Sapir souffrait surtout de ne pas pouvoir toucher son nez.

La rébellion matée, la radio réparée, les machines réchauffées, Charles présenté par Pons, le capitaine câbla son rapport à l'armateur qui, depuis Limassol, prévint aussitôt ses bureaux de Bombay. On avait remis le cap sur Singapour, à petite vitesse, Paul et Bob suppléant de leur mieux à la diminution brusque de l'équipage.

Une grosse vedette de la police indienne parut enfin, qui transportait quatre petits hommes fiers aux dents très blanches sous des moustaches très noires, vêtus de chemisettes vertes et coiffés de bérets assortis, avec quatre autres en tenue moins impeccable, au regard moins assuré – marins de rechange qu'on troqua contre les mutins avant de repartir à pleine vapeur.

Même si son corps rejetait la greffe d'un tel organe, l'essai de son uniforme avait rapproché Charles du capitaine. Il se tenait le plus souvent avec lui dans l'abri de navigation. Le duc entre eux, papillonnant sans relâche, rappelait à chacun leurs souvenirs communs, les narrait à chaque autre en les exagérant. Au-dessous d'eux Lopez arpentait le cargo, vérifiant les postes de travail sans se départir de sa rugueuse sévérité. Quoique promu second par intérim, il n'avait pas vraiment fêté comme les autres l'échec des hommes de Garlonne.

Cette partie du voyage, plus animée, fut brève. A table on n'en finissait plus de parler de tout, la mutinerie, la Malaisie, le passé qu'on rejouait aux cartes. A la fraîcheur, Paul et Bob faisaient à bicyclette le tour du pont. Il arriva que Bob évoquât devant Paul la jeune femme rencontrée à Chantilly, il arriva que Paul parlât à Bob de celle du cinéma qu'il avait eu tant de mal à revoir, l'idée ne leur vint jamais que ces portraits présentaient entre eux quelque ressemblance, et le fait est qu'ils n'en présentaient pas.

Laissant à main gauche les îles Nicobar, le *Boustrophédon* s'engagea dans le détroit de Malacca. De part et d'autre, par temps clair, on distinguait les terres indonésienne et malaise, rose et verte sur le planisphère affiché dans le carré des officiers. A Singapour, Pons ayant tâché de convaincre Charles du bon côté des habits neufs, Illinois leur fournit l'adresse d'un de ces tailleurs véloces chez qui, sous ces climats, s'épanouit à l'accéléré toute espèce de complet-veston. Puis on repartit, doublant la pointe péninsulaire, remontant vers le nord en restant toujours proche de la côte où le trafic était à peu près calme. Un peu plus loin vers le levant, du côté de la mer de Célèbes, régnait en revanche une telle ambiance que la navigation devenait intenable. Cette zone la plus dangereuse du monde, au-delà de Bornéo, surabondait de pirates perpétuellement à l'abordage, pillards dévastateurs qui tuent les hommes, violent les femmes, disloquent les nourrissons, kidnappent les vierges, mettent le feu au navire puis prennent le large en hurlant de rire.

On préféra donc longer étroitement les terres en voguant vers l'escale habituelle sise près de l'embouchure du Rompin, à moins de cent kilomètres de la plantation. Le capitaine et le duc connaissaient un peu de monde au bureau du port ainsi qu'aux douanes, ce serait aussi facile qu'au Havre d'y débarquer une marchandise non déclarée, tout autant que Charles avec son passeport forclos. Initiant le costume neuf à ce que serait désormais sa vie, l'homme errant s'installa dans une caisse alors que le cargo venait se ranger parmi les maisons flottantes et les barques non pontées qui chalutent le chinchard, le thon tropical et le barracuda. Le capitaine recommanda l'hôtel Regal, dans le centre ville, près d'un petit marché aux serpents – hôtel moyen, petit jardin bien entretenu sur le devant, gérant peu curieux de l'identité des gens, un ventilateur aidé d'un robinet donnaient de l'air et de l'eau dans toutes les chambres.

Le capitaine partirait normalement prendre livraison du caoutchouc. La situation, là-bas, pouvait avoir changé ; on ne déciderait qu'à son retour de la meilleure marche à suivre pour investir la plantation. Par ailleurs, Pons ayant aussitôt fait prévenir les frères Aw de son arrivée, sans doute ceux-ci enverraient-ils quelqu'un au rapport. En attendant, on ressortit en ville : d'une place à l'autre les gens parlaient, pariaient, mangeaient des nouilles, buvaient de la bière Tiger, c'est ainsi qu'est la vie malaise. Sans se toucher, les toupies d'acier bourdonnaient par grappes, leurs lanceurs penchés au-dessus d'elles les pieds très écartés, à leur affaire comme nos propres boulistes. Sur les toits des habitations basses, des silhouettes d'enfants tenaient en laisse des cerfs-volants trop simples, trop légers pour porter la moindre ombre. D'autres enfants se jetaient des ananas trop mûrs qui explosaient en mille morceaux poisseux. Encore d'autres enfants firent escorte à Bob et Paul, what is your name what is your name, se proposant de leur soustraire quelque fraction de dollar malais. Très vite il fit très chaud, mais une petite pluie brusque tombait parfois, peu salissante, et qui séchait instantanément.

L'émissaire des Aw se présenta le lendemain soir, alors qu'on dînait de pieuvre au riz sous le technicolor d'un néon, des nuées de moucherons scintillants nimbaient ce néon comme une vapeur dégagée. L'émissaire disposait d'une Land Rover louée à un parrain, il se nommait Djalaluddin Din, il annonça que la situation avait changé. On lui demanda en quoi. Il répondit que Jouvin, instruit par Kok Keok Choo du mécontentement rural, inquiet de l'absence de Pons, avait inventé d'armer les sept contremaîtres à présent formés en authentique milice. Les conditions de travail s'étaient roidies, la surveillance constante endommageait le moral. La vie privée l'était moins. Un comité s'était formé, qui se consultait sans cesse sur l'opportunité d'une grève. Les traits de Pons se plièrent vers le bas, son nez lui-même parut tomber. Il faudrait donc se servir de ces armes qui ne seraient plus seulement des arguments, des accessoires scéniques, il conviendrait aussi de toucher ce métal. Cette idée donnait au duc froid. Aw le jeune envisageait quand même d'agir dès après-demain, précisa l'émissaire.

– Nous allons voir, dit Pons.

Ramené un peu plus tard par le camion de la plantation en même temps que le fret, Illinois confirma les propos de Djalaluddin Din, tout en les nuançant : autant qu'il pouvait en juger, les Chinois n'étaient équipés que de trois ou quatre fusils de chasse, sinon ce n'était que coupe-coupe voire juste bâton. Malgré leur science martiale, le rapport de force ne les donnait en rien comme favoris. Le duc Pons hésita, puis décréta, bon, qu'on partirait le lendemain matin. Par précaution, le *Boustrophédon* prolongerait son escale jusqu'à ce qu'on eût prévenu le capitaine de l'heureuse issue des choses. Lopez profiterait de cette vacance pour repeindre l'avant. Tôt le matin, à la réticence générale, le duc s'installa au volant de la Land Rover.

Après la sortie de la ville on suivit un moment le Rompin, remontant son cours qu'une mangrove bordait, puis l'on prit une mauvaise route de terre surplombée par la forêt massive, bordée de lopins, et se défaisant en haute poussière jaune. Certains lopins étaient flanqués d'habitations également jaunes, parfois rousses, souvent groupées dans le périmètre d'un puits. Des paysans devant des portes plissaient un regard au passage du haut véhicule plein d'hommes blancs sales, abrutis par l'air lourd et les cris de la boîte de vitesses, la danse entre les nids de poules, le sable jaune plein les yeux. Loin des habitations, de tout petits temples déserts bornaient la route, bourrés de vivres et de fleurs fraîches à l'usage exclusif des vipères saoules d'encens. Enfin, Pons cria qu'on allait arriver.

Cinq kilomètres avant la plantation, Djalaluddin Din lui indiqua une étroite piste adjacente qu'ils suivirent plus lentement jusqu'au camp. Le camp : des nattes au milieu d'une clairière, huit hommes assis dessus autour de trois pierres d'où se tirait une ligne de fumée crayeuse, livide fil à plomb qui s'enroulait dans les premiers branchages comme autour des doigts d'un fumeur, s'entortillait puis se démantelait dans les voûtes supérieures.

Aw le jeune était là, avec tous les autres. Seul encore à connaître tout le monde, le duc Pons fit les présentations, prononçant des noms qu'on ne comprenait pas toujours bien. Puis on sortit les caisses de la voiture, en retira les ustensiles à crosse repliable qu'on se répartit, il y en avait deux de trop. Devant cet arsenal, les Malais faisaient montre d'assez peu d'enthousiasme ; comme Bob essayait d'en commenter par gestes les particularités, ils détournèrent un œil sceptique, parlèrent doucement entre eux. Aw Aw avait pris Din et Pons à l'écart, il s'expliquait d'une voix posée.

Les timides ruraux continuèrent d'échanger des phrases brèves avec des sourires, des rires légers, non sans examiner en douce Charles et les autres. L'un d'eux finit par se risquer, what is your name, Paul lui répondit trop vite une première fois, puis en articulant mieux. Les Malais riaient en répétant les noms avec des commentaires, les déformèrent avec des rires plus vifs, ce nouveau matériel semblait se prêter au calembour local.

Aw Aw, soutenu par Din, finit par convaincre Pons de passer à l'action au plus tôt en faisant valoir ce qu'avait exposé le capitaine : l'équipement sommaire des Chinois permettrait une victoire sûre. Et même si, autour du noyau dur constitué par lui-même et son frère, Din et leurs proches, la détermination rurale formait une pulpe un tant soit peu blette, on pouvait au moins compter sur son soutien passif. Plutôt qu'attaquer frontalement, même avec la certitude de vaincre, mieux vaudrait cependant opérer par surprise, contenir les contre-

204

maîtres sans effusions exagérées. Aw proposa d'agir une heure avant le lever du jour, quand l'imminence de l'aube fait que partout, toujours, la vigilance se laisse aller.

La lumière verte autour d'eux fonçait doucement, de l'olive par l'absinthe au wagon, puis au tunnel. Le bruit changeait de nature avec la nuit, on sentait non loin de soi des courses de quadrupèdes, couvertes dans la journée par d'immenses meetings contradictoires qui opposent cinq cents espèces d'oiseaux dont quelques migrateurs, déployant leur v inversé sur une cime de conifère, tantôt appelés à témoigner au titre d'envoyés spéciaux, tantôt conspués comme agents de l'étranger selon l'idéologie aviaire du jour. Le soir venu ces volatiles soufflaient un peu, se préparaient au sommeil, retapant le coussin en duvet sous leur aile avant d'y enfouir leur tête pointue. Bientôt ne dévalèrent plus, isolément, que d'hésitantes exclamations répétitives, désabusées, soliloques attardés d'oiseaux buveurs tressant une texture de riffs mélancoliques sur fond de quoi, parfois, daignait improviser le vespéral merbok, génial virtuose au répertoire consacré.

On se partagea la soupe puis on resta assis, allongé sur son coude par groupes d'affinités. On s'ennuyait assez, n'osant dormir vraiment. Toujours à l'écart, Aw, Pons et Din perfectionnaient leur stratégie, aiguisaient la tactique en se passant un thermos décoré de fleurs rouges.

Charles tira deux dés de sa poche déjà froissée, il les fit sauter sur sa main. Il les jetait sur son coin de natte, lisait le score, les rejetait. Les Malais, d'assez loin, se mirent à l'observer, leur attention crût vite puis ils se rapprochèrent de plus en plus sensiblement. Charles eut tôt fait, par langage signé, de les rompre aux beautés de la passe anglaise. Paul ayant conservé le jeu de dés trouvé sur le *Boustrophédon,* on additionna les cubes qu'on se répartit, instituant trois ateliers de passe ; Bob, conservant le dé enclin au cinq pour son usage, omit de le préciser. Les ruraux jouaient avec ardeur, récréant les règles et découvrant les coups, montant des plans selon d'exotiques prémisses, d'originaux postulats, heureux de cette nouveauté qu'ils explorèrent à fond jusqu'à ce qu'enfin tous leurs dollars, toute leur timidité fussent disparus, en attendant d'aller se battre. Ils s'étaient souvenus de boîtes de Tiger oubliées dans leurs sacs, alu contre alu l'on trinqua, Bob fraternisait en comptant la monnaie. Nuit de jeu sous les banyans.

28

On est fatigué par une nuit de veille. Une heure avant le jour, on espère tant sa venue qu'on se figure des signes de sa présence. On le voit là, juste derrière, on l'imagine déjà se lever dans la minute. Il vient alors moins que jamais. On s'inquiète, on perd patience. Ce trouble aggravant la fatigue, on peut aussi perdre courage lorsqu'on se trouve au bord d'une mare où cela coasse de temps en temps, près d'une baraque d'hommes endormis.

On est un Chinois nommé Lou, on a ce fusil à deux coups dans les bras, on n'a rien d'autre à faire que garder levées ses paupières dans le noir en écoutant ronfler les batraciens. Nul chant d'oiseau, les plus invétérés couche-tard s'étant effondrés sur leur nid depuis longtemps, nulle horloge biologique ne sonne de si bonne heure. Quoique non loin, des pas feutrés : des bêtes parfois traversent la plantation, leur démarche est rapide, légère, et c'est très bien ainsi. On n'aime pas qu'elle soit gauche, massive comme celle du varan hippogriffe qui mange la pourriture et sue le poison, qui est bien deux fois plus lourd et long, hors tout, qu'un Chinois standard. On éloigne cette idée, le bruit s'éloigne aussi, on est très soulagé.

Une minute plus tard on sourit lorsqu'on reconnaît le merbok, dans l'une de ses attaques les plus classiques. Si le virtuose lance déjà son indicatif, les autres vont sûrement suivre et relever le défi, d'une voix rugueuse d'abord, toute éraillée avant le premier ver. Cela fera se lever le jour plus vite, c'est encourageant. On reprend confiance. Mais l'oiseau se tait aussitôt, peut-être a-t-il chanté dans son sommeil, par bribe comme nous y parlons, s'exclamant à quelque coup de théâtre de son rêve d'opéra. Une déception ternit notre confiance puis, dès que Djalaluddin Din a fini de singer le merbok, une chose lourde tombe sur notre épaule et nous plions les genoux, puis sur notre tête et nous tombons, nous roulons dans la mare et les sangsues se jettent sur nous, s'agrippent à notre derme de toute la force de leurs trois mâchoires.

Après que Din eut récupéré l'arme de Lou, Aw Aw força l'entrée du baraquement. Alerté par le signal convenu, Aw Sam se tenait derrière la porte avec les autres membres du comité de grève. Son jeune frère lui tendit le fusil mouillé, lui montra le sien plus moderne, plus gros, d'un air entendu, un doigt sur les lèvres. Les syndicalistes se regroupèrent en silence, puis se mirent en marche vers le dortoir des contremaîtres dont le veilleur n'opposa pas la moindre velléité : très vite, tout était presque fini. Les Chinois réveillés sans violence ne firent aucune histoire après que Kok Keok Choo se fut rendu aux arguments des frères Aw, à tous égards avantagés. Les Européens, qui jusque-là s'étaient contentés de suivre l'opération réglée en un petit quart d'heure, s'émurent de sa facilité. Ils se trouvaient trop inutiles, encombrés de leur personne, déplacés au milieu du chantier ; on leur avait dit de se pousser. Pons proposa de s'occuper lui-même des Jouvin.

Raymond Jouvin dormait à ce point qu'on prit le temps d'arracher les fils du téléphone avant de le ficeler avec, à même son lit, tel quel. Pour Luce il n'y avait rien à faire, elle gisait au plus fort de l'imbibition dans le jardin intérieur de la villa, parmi les palmes des ricins. Sa bouteille avait roulé non loin d'elle sur le dallage du patio, s'y vidant d'une part de son contenu ; accoudés à l'arête d'une dalle, un couple de geckos lappaient la flaque en prenant leur temps. Tout s'était donc achevé presque trop vite, on eût aimé voir le soleil se lever sur la victoire, on dut patienter pour en distinguer les contours.

Si, par une alliance entre leurs chefs, les agents de maîtrise avaient officiellement rallié le camp des syndicalistes, la base se trouvait encore quelque peu divisée. Deux factions commencèrent de gronder, dont jaillirent deux représentants qui s'affrontèrent de la voix puis uniquement du geste, à poings nus. Aw Sam voulait s'interposer, mais Aw Aw comme le duc furent d'avis de laisser le combat se poursuivre à titre de match, d'exhibition sportive qui était une première célébration de la victoire. On criait en effet beaucoup dès que les hommes se furent l'un sur l'autre jetés, on acclamait indifféremment leurs prises nobles et coups bas, on scandait un de leurs noms selon son camp ; quelques irresponsables, tenants de la guerre totale, scandaient les deux noms alternativement.

Le pugilat se dilua dès le soleil levé, tout le monde ayant un peu mal aux yeux. Sur le seuil de la villa Jouvin, Aw le jeune et le duc Pons se tournèrent l'un vers l'autre ; leurs sourires exprimaient la complicité perpétuée dans la lutte, autant que l'éclosion probable de leur rivalité dans le pouvoir pris. Ils étaient fatigués, surtout Pons qui est plus vieux, ils tinrent un bref conseil. Le duc montra de la réticence devant la proposition faite par les Aw d'une semaine de repos immédiat pour tout le monde, pour commencer. Proposant plutôt que de ce jour, désormais, l'anniversaire fût officiellement chômé, voire fêté par un grand combat de coqs, il obtint la reprise du travail pour le surlendemain. Une fois fondé un jour férié, on se répartit les chambres. Din conduisit Paul et Bob dans la meilleure, celle du couple déchu. Lui-même et ses hommes s'arrangeraient ensemble dans le living, Charles partageant le bungalow de Pons. Traitement de faveur, dit Paul en explorant la chambre, pourquoi ils nous donnent la mieux ? On n'a pas aidé. On n'a pas participé. Laisse tomber, dit Bob, aide-moi à descendre le matelas. Je prends le sommier, si tu veux.

Dehors, le duc ni Charles n'avaient sommeil. Ils firent le tour du bâtiment puis s'avancèrent dans les champs, entre les rails d'arbustes, Pons nommait les choses à mesure qu'elles se présentaient sous ce jour neuf. Charles marchait au milieu d'elles, hésitant un peu comme s'il sortait de l'asile. Ensuite on n'allait pas se coucher comme ça, une fois rendus au bungalow, sans une dernière bière. Justement Pons voulait montrer à Charles ses plans, les plans de ce gnomon dont il lui avait parlé déjà, l'autre jour en mer. Charles feuilleta les épures pendant que le duc décapsulait les Tiger conclusives, non sans se plaindre de toujours revenir sur ce même problème du matériau, qui le bloquait.

– Tu n'as qu'à le faire en caoutchouc, bâilla Charles.
– Merde, fit Pons, je n'y avais pas pensé.
– Prévois quand même une armature, peut-être.

Charles s'endormit sans ôter son costume ni creuser cette idée que le duc développa seul, couché, imaginant l'objet, se le représentant de mieux en mieux. Non, pas d'armature. Le duc Pons est en train de concevoir un nouveau modèle de gnomon élastique, dont il contrôlera toute variable, dont il voit déjà flotter l'ombre flexible, amollie par le soleil voilé, comme son propre drapeau sur sa terre reconquise, figure de son pouvoir rétabli. Si, sur ce dernier point, le lobby Aw montre trop de prétentions, le duc saura faire jouer les Chinois par des méthodes éprouvées. La situation lui est acquise, sous peu se dressera le gnomon. Pons en pose tous les paramètres, s'attarde sur chacun de ses détails. Comme il envisage de le peindre il s'endort, ses yeux se ferment en douceur sur l'oreiller des choses accomplies.

Quatre heures plus tard, la plantation se trouve totalement encerclée par les forces de police, assistées par un détachement de l'armée de terre. Il y a là trois ou quatre cinquantaines d'hommes, pour la plupart ils sont armés d'engins Ingram. Ils sont venus en camion, en jeep, précédés de véhicules blindés légers munis de postes de tir Milan, suivis par un petit char Léopard et deux automitrailleuses Saladin, survolés par un hélicoptère Lynx conçu pour l'attaque au sol. C'est trop. C'est beaucoup trop.

29

Entraîné aux éveils en sursaut, Charles identifia tout de suite le grondement de l'hélicoptère réel pendant que les autres rêvaient encore – qui de faire taire cet orgue, qui de liquider ce moustique, éventuellement à l'aide de cette tronçonneuse. Aussitôt debout, Charles aperçut par la fenêtre du bungalow quelques grappes de ruraux désœuvrés, levant le nez vers le ciel froissé. Au loin, un pointillé de soldats matérialisait le tour de la plantation, à trop petite échelle pour qu'on pût, même au pinceau très fin, préciser leurs visages.

Fermement secoué sur sa couche, guidé vers la fenêtre avant qu'il eût fini d'ouvrir les yeux, Pons considéra cela sans comprendre. Ses idées s'assemblaient avec difficulté, par saccades, comme les pièces d'un casse-tête. Une frayeur instinctive lubrifiant le système, tout se mit en place d'un coup pour accoucher d'une déduction. C'est foutu, marmonna-t-il, c'est cuit.

Il n'était qu'un parti possible : à son tour il agrippa Charles par le bras, le tira vers la porte, ils surgirent éblouis dans le plein midi. Traînant Charles qui suivait sans comprendre, Pons se mit à courir au-devant des uniformes barrant l'entrée de la plantation. L'hélicoptère juste au-dessus d'eux brassait l'air lourd de sa voilure, dans un fracas d'annuaire indéfiniment déchiqueté, tout à leur course ils traversèrent sa petite ombre ronde.

L'officier chargé de l'opération ne porta même pas la

main à son étui en voyant approcher ces deux hommes blancs d'âge mûr, débraillés, hors d'haleine. Le maigre aux yeux rouges criait au secours dans un malais correct. Rapidement présenté (duc, duc Pons), il haleta un résumé des faits dont l'aspect décousu pouvait provenir de son affolement. Ce n'était que la grosse vérité, à peine brodée, soulagée pour son bien de pertinents détails : des exaltés venaient d'envahir la plantation, séquestrant les patrons, brutalisant la maîtrise et terrorisant le salariat. Les choses paraissaient critiques, diagnostiqua le duc, ces hommes étant froidement déterminés. On pourrait cependant profiter du relâchement momentané de leur vigilance, auquel son collègue et lui-même devaient d'avoir pu fuir. Par mouvements urgents, à peine synchronisés, il désigna aux militaires le dortoir des contremaîtres derrière un comité de palétuviers, s'offrant à les y guider : le moment semblait mûr pour juguler la subversion, même s'il fallait toujours compter sur quelque poche de résistance.

L'officier réfléchit brièvement, puis tourna la tête en levant la main vers ses hommes, qui emboîtèrent uniment son pas de gymnastique. On laissa quelques gardes à l'entrée, vers qui le duc Pons courut se faire connaître. Toujours suivi de Charles il revint voleter en tête de colonne, harcelant l'officier de suggestions essoufflées, bourdonnant parmi les hommes de troupe sous le ronflement de la grosse mouche de fer, ce qui énervait doublement tout le monde.

Sur la foi de ses indications, les forces de l'ordre investirent donc la chambrée des Chinois. Un certain désordre s'ensuivit, confusion fertile en dénis, protestations, rancœurs. On s'empoigna dans tous les sens, réglant à l'occasion de vieux comptes hors sujet. L'officier n'y entendait plus rien, demandait un responsable, exigea qu'on lui trouvât un responsable. Kok Keok Choo finit par se présenter, rétablit la vérité des faits, désigna la villa Jouvin comme le vrai centre nerveux du trouble. Un moment s'écoula avant que l'officier réalisât que cette version des événements différait fort de celle de Pons, vers qui, tout interrogatif, il se tourna – mais bien sûr que le duc n'était plus là.

Bien sûr qu'il courait à travers la forêt, son ami Charles derrière lui. Ils avaient eu un peu plus de mal à se détacher de l'escouade qu'à sortir ensuite de la plantation, les braves gardes ayant su reconnaître en eux des alliés. Et maintenant ils couraient, remontant en sens inverse la piste empruntée quelques heures plus tôt. En beaucoup moins de temps qu'à l'aller, ils regagnèrent le bivouac où l'on avait rejoint Aw Aw et ses camarades. Désert, ce lieu n'avait pas beaucoup plus d'allure qu'un site de pique-nique le lundi matin, dans quelque espace boisé de la grande banlieue européenne – quoique la forêt malaise, plus puissamment biodégradante, accorde au papier gras un statut bien plus frêle, une espérance de moindre vie qu'à Fontainebleau. La Land Rover était toujours là, toute embuée de vert. Le duc s'approcha d'elle, tremblant, puis il s'arrêta net, fouilla ses poches avec fureur. Non, merde, énonça-t-il d'une voix morte. Les clefs.

Mais Charles et son couteau suisse savent démonter un tableau de bord, lire un circuit électrique, connecter les bons fils, et bientôt l'on roule vivement vers la côte. On rejoint les berges du Rompin au moment où, dans la villa Jouvin reconquise, l'officier mène son enquête avec méthode ; déchiffrant un contrepoint de témoins, il interprète la part des responsabilités. On ne freine pas une seule fois avant de retrouver la ville, on traverse la ville vers le port, on traverse le port vers la jetée au bout de laquelle on pile, on saute sur la passerelle du *Bous-trophédon* qui appareille aussitôt, au quart de tour ses machines tournent à fond vers le grand large. Alors que l'officier, saisissant enfin le rôle de Pons, vient d'alerter l'autorité centrale, alors qu'un aviso lève une ancre hâtive et que trois vedettes bourrées de garde-côtes se lancent à la poursuite du cargo, celui-ci quitte les eaux malaises pour pénétrer la haute mer neutre, profondément hospitalière, hors de portée de toute force répressive puisque nulle souveraineté territoriale ne saurait s'y exercer, ce point a été assez commenté depuis 1927 à propos de l'affaire du *Lotus*.

— Ça devait arriver, reconnaissait Pons quatre jours plus tard, accoudé devant l'océan.

Comme tous les jours, l'ex-duc analysait la situation malaise, s'en projetait inlassablement le film, y découvrait chaque fois des faux raccords supplémentaires, admettait ses erreurs. Charles regardait le ciel qu'un DC-9 fendait diamétralement, traînant sa ligne blanche en plein travers de la coupole, la déguisant en comprimé sécable.

— Tu n'auras pas vu grand-chose du pays, finalement.

— Quand même, fit Charles, ça m'a donné une petite idée.

A l'intérieur du DC-9, on avait baissé les volets des hublots pour que les passagers puissent voir le film avec Burt Reynolds. Tous en effet le regardaient sauf Bob qui, l'ayant déjà vu, n'avait pas complètement baissé le sien. Paul dormait dans un fauteuil de la travée centrale. Assis à côté de Bob, un myope en marron feuilletait une brochure consacrée aux implants de cheveux. S'interrompant pour dégraisser ses lunettes, il avait tenté d'échanger quelques mots : tourisme, affaires ? Un peu les deux, fit Bob, et vous ?

On n'avait rien pu, somme toute, retenir à leur encontre. Nul ne pouvait prouver que c'était eux qui avaient acheminé frauduleusement ces armes aussitôt confisquées, étiquetées, exposées pour les besoins de l'instruction dans une salle au sous-sol d'un bâtiment de justice, attenante au bureau plus petit, plus vivement éclairé nuit et jour, où quand même on leur posa longuement, plusieurs fois, toute une série de questions. En leur faveur, les témoignages s'accordaient sur ce que Paul et Bob s'étaient montrés très peu actifs, très peu initiatifs, plausibles jouets d'une situation qu'ils juraient ne pas comprendre. Qu'ils en connussent le principal investigateur, en fuite, n'était pas une charge suffisante pour qu'on la relevât. Après trois jours d'interrogatoire redondant, on s'était résolu à les élargir. C'est fermement qu'on les avait assis dans le premier vol vers chez eux, en classe économique.

Transfert technologique, répondit le myope en chaussant ses verres. Sur l'écran pâle, Burt souriait fort. Bob s'étira, fouilla ses poches, découvrit au fond de la pectorale un souvenir égyptien tout effiloché, presque entièrement vidé de son tabac. Il remonta le volet un peu plus : rien que l'éternel azur, à peine disjoint des eaux fripées qu'un seul point noir signalait tout au fond, comédon sur chair de poule bleue.

A son bord, Pons achevait son autocritique. Il se tut. Il parut contrarié. Charles ne regardait plus le ciel mais l'eau, nostalgiquement : comme on est bien dans l'eau, comme on bouge mieux. Il pouvait s'étonner de ne pas s'être incarné brochet, thon, voire simple carpe comme il était sûrement prévu. Sans doute quelque défaillance technique au moment de son orientation, fausse manœuvre de dernière minute, l'avait dévié de son destin initial, soustrait à son vrai milieu : il eût été bonne carpe, il eût fait une assez bonne grosse carpe psychasthénique errant solitairement entre deux eaux douces, ressassant ses craintes de finir farcie, ses regrets de n'être pas née piranha.

— Le fait est, dit Pons, que je n'ai plus rien. Je ne possède plus rien.

Charles se retourna. Jeff n'avait pas encore abordé ce point.

— Tel que tu me vois, reprit-il, ce que j'ai sur moi, je n'ai plus que ça.

On allait vers l'Europe. Pons, impatient jusqu'à l'escale d'Aden, s'assombrit en Méditerranée. Après que l'eau, jusqu'au Havre, eut changé neuf fois de couleur, Charles s'en fut sous la pluie retrouver Monique, laissant à leurs adieux le capitaine et le duc. Se reverrait-on.

— Vous partez comme ça, crut comprendre Illinois, vous ne savez pas où vous allez.

— J'ai des points de chute à Paris, préjugea Pons. Evidemment ça ne sera pas facile, il y a l'âge, il y a le temps. Vous avez vu ce temps. Je ne sais pas si je vais pouvoir m'y refaire.

Le capitaine se prit le menton, déplaça un compas sur une carte devant lui, toussa comme on hésite à proposer enfin le mariage, à baguer une si vieille liaison.

— Vous pourriez rester, lâcha-t-il, je vous trouverais quelque chose à faire. A bord il y a toujours de quoi s'occuper. Avec la compagnie, ça ne ferait pas d'histoires.

Pons, un jour, avouera qu'il avait hésité. Mais non, je ne m'y ferais pas non plus. Autant mourir d'où je viens. Le capitaine avait baissé les yeux.

— Par contre le train, moi Charles, il nous faudrait, mais je vous rendrai.

Illinois prit une liasse dans le coffre de bord. C'est

beaucoup, protesta Pons, c'est trop. Voyons voyons, dit Illinois qui fouillait ensuite parmi les livres au-dessus du canapé, en retirait un petit volume, un petit souvenir, *Journal de Nordenskjöld dans les régions polaires arctiques,* 1880, tenez. Pour lire dans le train.

Charles retrouvé à la gare s'assit en face de Pons, près de la fenêtre du compartiment. Le duc déchu feuilletait l'ouvrage sans conviction, s'arrêtait à des anecdotes concernant les effets du froid. Charles regardait par la fenêtre. Pons lui montra l'argent du capitaine, lui en tendit la moitié, regarda par la fenêtre à son tour. Ils parlèrent une fois de la vitesse du train. Gare Saint-Lazare, sur un copeau de papier, Charles inscrivit l'adresse de sa boîte aux lettres en banlieue. Ils étaient debout au milieu du hall, de toutes parts les gens passaient près d'eux. Qu'est-ce que tu va faire ?

– Je ne sais pas encore bien, répondit Pons en regardant son pied qui poussait un mégot.

– Tu peux venir avec moi, tu verrais que tu peux. Je te montrerais.

Pons réfléchit trop longtemps avant de répondre, puis leva les yeux vers Charles mais il n'était plus là, Charles n'était plus là. Pons restait seul en compagnie de quatre cents francs et des poussières, sur quoi mordrait le billet pour Chantilly. Sans emploi ni famille, sans domicile ni rien, nulle autre perspective pour lui que Chantilly. Et encore.

Capricieux recours, Nicole ne se proposerait peut-être pas spontanément de subvenir aux besoins de Pons, but inavouable de cette expédition ; il faudrait essayer de savoir l'en convaincre, il s'embrouillait rien qu'en y songeant. En cas d'échec resterait la solution Charles – contre laquelle s'élevaient ses convictions, sa conception ducale du monde. Pour que Nicole accepte d'accueillir Jeff à demeure, surtout ne rien suggérer, ne rien induire, jouer en fond de court de sorte que cette idée lui semble venir d'elle-même, qu'elle prenne l'initiative et qu'il doive refuser, d'abord. C'est assez délicat. Le duc aimait bien ces manœuvres au temps de la plantation, lorsqu'il louvoyait parmi les Chinois, les Jouvin, les sensibilités syndicales, mais il sentait maintenant moins de force en lui pour elles, qui n'avaient d'ailleurs pas porté de tels fruits.

Vieilli, voûté parmi les pas perdus, il sortit de la gare par la cour de Rome. Avant de repartir en train, d'une autre gare, la préparation d'un petit discours à Nicole s'imposait peut-être. Il composa ce discours dont il supprima la deuxième partie, puis l'autre sous le crachin. Il était seul, il avait faim, il regardait les autobus qui manœuvraient.

La nuit avec la pluie tombaient froidement sur Chantilly lorsqu'il sonna à la porte de la villa, donnant juste un coup bref d'apprenti démarcheur, de jéhoviste débutant. Boris ouvrit sans un regard, désigna sans un mot l'entrée obscure du salon vert, disparut. Pons mal à l'aise marcha vers le salon, y découvrit Nicole prostrée dans une bergère dans le noir. Elle se leva dès qu'il parut, fondit en larmes entre ses bras trop longs, Pons était très embarrassé. Elle n'est plus là elle n'est, sanglotait Nicole, plus là.

– Ce n'est rien, dit Pons sans comprendre. Ce n'est rien, répéta-t-il doucement. Moi, je suis là, indiqua-t-il.

Nicole pleurant de plus belle il se reprit, calme-toi, explique-moi, ce n'était sûrement rien mais on n'allait pas pouvoir manger tout de suite. Il força Nicole à se rasseoir, s'installa près d'elle, explique-moi, je te dis de te calmer. Une heure plus tard il savait tout de la disparition de Justine, c'est-à-dire peu de choses, mais extrêmement lacrymogènes et répétées. La police consultée donnait sa langue au chat.

– Elle est partie avec un type, aussi bien, supposa Jeff. Quelques jours, un petit voyage, tu sais ce que c'est, on ne prévient pas. On ne pense pas.

Nicole se remit à pleurer, tout le restant de la journée. Tôt le lendemain matin, ses larmes salaient déjà son thé froid. Pons était sorti de la maison, sans savoir que faire de soi. Il avait pu reprendre sa chambre, la question n'étant absolument plus là, il arpenta le gravier froid. Des pies le survolaient en échangeant des points de vue éraillés, traversant l'air tendues comme des segments de droite, des anamorphoses de pingouins. Il entendit d'autres oiseaux, sans les voir tous, il monta dans l'Austin.

En gare de Chantilly, Pons rédigea une carte postale (il faut qu'on se voie vite au recto, téléphone à l'heure des repas, Jeff – au verso, le château) qu'il jeta dans une boîte incrédule, à l'adresse que lui avait donné Charles. D'une cabine également incertaine il tenta d'appeler Paul. Puis il laissa longuement sonner chez Bob en regardant le monde derrière les vitres de la cabine : agité de brusques mouvements d'air, le ciel réfrénait à grand-peine une terrible envie de pleuvoir, les gens vêtus en conséquence s'affairaient au-dessous de lui. Il raccrocha. Il rejoignit les gens.

30

Chez Bob, le téléphone n'avait même pas sonné, se trouvant hors d'usage. Ses fils étaient arrachés, et l'appareil lui-même était cassé comme la plupart des choses autour de lui. En l'absence de Bob, sur une crise de Van Os vengeur, ses hommes avaient dévasté le studio, brisé tout accessoire, déchiré jusqu'aux annuaires puis conclu leur ouvrage en brûlant dans l'évier quelques ustensiles de plastique choisi. Leur fumée grasse, partout appliquée en épaisse suie collante, ruinait de toute façon l'avenir des rares objets intacts.

Débarquant d'un taxi hélé à Roissy, leur montre encore à l'heure malaise, leur petite mine accusant le décalage, Paul et Bob s'étaient tenus devant la porte poussée, dans le couloir, comme sur le seuil d'une molécule de houille : l'espace était uniformément noir, hérissé de carcasses noires, jonché de débris noirs coupants. Ils n'osèrent pas entrer. Bob n'avait pas trop mal réagi.

— On ne peut pas rester, conclut-il seulement. On va aller chez toi.

— Tu n'y penses pas, dit Paul, c'est peut-être pire. Peut-être qu'ils ont fait pire.

— Tu crois que c'est eux ?

— Il ne faudrait pas trop les rencontrer. M'est avis. Les voitures, on ne va pas les reprendre. Tu n'as pas idée d'un endroit, en attendant ? Un endroit tranquille.

– Aucune, dit Bob. On peut passer chez Bouc.

Ils passèrent juste prendre un verre, sans intention de consulter. Ils s'assirent pour causer dans les fauteuils de toile pochée, dévidèrent différents sujets qui se présentaient tels que la charcuterie, les orchidées, l'indigo, l'espoir jusqu'à l'apéritif, après quoi Bob sortit faire quelques courses. On dîna de viande rouge, d'oranges et de vin rouge en regardant le journal télévisé, puis le début de ce qui venait après. Bouc Bel-Air se leva pour changer les verres.

– Vous voulez peut-être aussi dormir, supposa-t-il enfin.

– C'est-à-dire que ce serait bien, dit Bob, mais on ne s'impose pas. On ne va pas s'imposer.

Bouc revint avec un carafon de marc et trois godets, tira d'un placard deux lits de camp du même modèle que le sien, Bob et Paul burent à sa santé. Huit jours déjà qu'ils étaient là. On avait toujours un peu froid chez le géomancien, la douche pliante donnait de l'à peine tiède et le chauffage était une petite chose à résistance projetant à vue de nez son haleine de poussière brûlée. Punaisé à la porte, un tract gymnastique figurait les douze rotations et flexions minimum, qu'on regardait plus ou moins chaque matin.

Au début ce n'était que sourires mais on sait comme souvent, dans un espace petit, se précipite semblable situation. Au début tout le monde est content, l'hôte moins seul et ses hôtes à l'abri, mais le temps passe qui banalise et froisse les choses, les susceptibilités, bientôt cela frictionne puis cela pèse. Bouc Bel-Air avait arrêté de rire le premier, rengainant ses répliques en détournant les yeux, manifestant des temps de latence à propos de tout. Dans la journée, Bob et Paul se trouvaient en général assis dans l'une des pièces tandis que lui, dans l'autre, recevait les clients égarés dont l'avenir était son entrecôte. La porte séparant ces deux pièces étant mince, il déplaisait à Bouc que les deux autres l'entendissent, voire l'écoutassent bricoler ses pronostics dont il savait le caractère limité. Lorsqu'il tâchait d'improviser, d'introduire des variantes, c'était gênant d'imaginer leur sourire silencieux. Même si jamais ils n'y firent allusion, il n'aimait pas qu'ils fussent témoins des réactions quelquefois délicates des pratiques.

Bouc se mit donc à faire des coups tels que : boire toute la 33, tout le Tropicana, finir le reblochon ; ne jamais rien racheter ; perdre le savon, boucher l'évier ; le laisser tel quel, sortir sans prévenir, oublier de laisser la clef. De plus en plus souvent dehors pour cause d'oubli de clef, Paul et Bob patientaient à l'abri, souvent dans les grandes surfaces.

– Tu crois vraiment qu'ils nous cherchent, les Belges, demandait Bob au pied de l'escalator, tu crois qu'ils en ont après nous, toujours ? Moi, je dis que c'est fini.

Ils dérivaient dans le rez-de-chaussée, parmi les concessions de parfums, les vendeuses droites et fermes semblaient d'une autre essence que leurs consœurs au milieu des flacons et des sprays. Saisissant les échantillons, Bob se vaporisait le dos de la main.

– On ne peut plus rester chez Bouc, poursuivit-il, ce n'est plus tenable, allons chez toi. Allez, on va chez toi. C'est bien, chez toi. C'est grand.

– Non, dit Paul, mais j'ai une autre idée. On doit pouvoir téléphoner, d'ici. (On put.) Bonjour, pourrais-je parler à Jean-François ? (Il put.) Alors tu es là, dit-il d'une voix chargée. Je me disais bien.

– Depuis hier, fit Pons, j'arrive juste. J'ai essayé de t'appeler, ce matin, tu tombes bien. Il faut qu'on se voie très vite.

– Tu en as de bonnes, dit Paul, tu as vu comme tu nous as laidement laissés tomber, là-bas ? On ne parlait même pas la langue. Tu trouves ça correct ?

– Tu vois bien que vous êtes là, joua Pons, tu vois bien que vous n'aviez rien à craindre. Moi, s'ils me trouvaient, j'avais des tas d'ennuis. Et Charles avec son vieux passeport, tu as pensé à ça ? Tu ne sais pas où il est, au fait ?

– Ecoute, l'arrêta Paul, il faudrait que tu nous loges avec Bob. On a un vrai ennui (à cause de lui, souffla Bob, fais-lui comprendre que c'est à cause de lui, l'ennui). Il doit y avoir de la place, là où tu es. Bob dit que c'est grand.

– Ah, fit Pons, je ne crois pas que ce soit possible, passe-moi Bob. (C'est ça, dit Bob, passe-le-moi donc.) Bob, j'ai une personne proche qui a disparu, figure-toi, vous ne pourriez pas m'aider à la trouver ? Je te le demande à toi, parce que je sens bien que Paul.

– Vous n'êtes pas sérieux, l'interrompit Bob à son tour, vous montez des histoires sans méthode. Vous n'avez pas le sens commun. Personnellement, je ne marche plus.

– La petite Justine, tu te souviens ? (Oui, dit Bob.) Tu l'avais vue à Chantilly, tu te souviens ? C'est elle qu'on ne trouve plus, dis donc. Tu vois comme c'est important. (Oui.) Essaie d'expliquer à Paul.

– Il ne la connaît pas, crut se rappeler Bob d'une voix troublée. Peut-être il ne va pas comprendre.

– Essaie, répéta Pons avant de raccrocher, tu me rappelles ensuite.

– Qu'est-ce qui se passe ? demanda Paul.

– On va s'asseoir.

Sur la table des matières fixée à l'entrée du grand magasin, Bob chercha l'étage consacré au mobilier. On y choisit parmi les sièges deux crapauds coquille d'œuf dans quoi l'on discuta, puis décida : l'octroi d'une aide, sollicitée par Pons, ne serait envisageable qu'en échange d'un abri sûr. On le rappela. Bon, dit-il, je vais voir ce que je peux faire.

Nicole désespérée ne quittant plus sa chambre, il était difficile de lui exposer discrètement les choses, sans que Boris en profitât. Ça va faciliter les recherches, Nicole, cria Pons à travers la porte. On centralise l'information, comme ça. C'est mieux. Elle ne répondait pas, Pons vit la cause entendue. C'est bon, dit-il, venez. On va s'arranger. Deux heures plus tard, portant sur Paul et Bob une pupille radiographique, Boris leur préparait deux chambres sous les combles, attenantes à ses appartements.

Le lendemain, cela ne servit à rien de se transporter de si bonne heure à Levallois : toute une affaire pour trouver la rue Madame-de-Sanzillon, et dans celle-ci la boîte aux lettres de Charles, et dans celle-ci la carte postale de Pons sous un sédiment d'offres de biens et services – rien pour Vidal. Pons relisait sa carte, on attendit des heures dans l'Austin de Nicole en surveillant la rue. Charles ne parut, ni personne d'autre, sauf une nouvelle bande de boueux lusitano-mauritaniens dans un bruyant camion vert. C'était la fin de la matinée, l'équipe parachevait la collecte en finassant avec des voies aussi excentriques, aussi évaporées que Madame-de-Sanzillon : reposantes, car avares en déchets, elles constituaient plutôt le tour d'honneur des balayures, l'adieu à la valeur d'usage, à la valeur d'échange, avant la décharge puis l'incinération.

On revint déjeuner à Chantilly, penauds, en échangeant des velléités de plans. Rien ne permettait d'agir dans tel sens ou tel autre, on ne savait rien de Justine

225

au fond. On se décourageait. Boris avait mis la table pour quatre.

– Mais puisqu'elle dîne dans sa chambre, Boris, objecta Pons. On n'est que trois, non ?

– Je mange avec vous, monsieur.

– Excusez-moi, Boris, appelez-moi donc Jeff.

De fait Boris mangea peu, prélevant plutôt les marges des nourritures, croûte ou couenne qu'il mâchait longtemps. Il leur parla, ils écoutèrent sa voix porter une ardeur grave, Boukharine en Chaliapine ressuscité. Seuls, ils ne retrouveraient pas Justine, leur prédit-il, alors qu'avec Charles ce serait possible. Il paraissait admirer beaucoup Charles. Mais seuls, poursuivit-il, ils ne sauraient pas retrouver Charles non plus. Il paraissait aussi douter beaucoup de leurs moyens. Trouver Charles, peut-être que lui pouvait. Il se leva, superposant les assiettes sales qu'il remplaça, puis il revint avec la suite. On mange la suite, conclut-il, je trouve Charles après.

L'après-midi se passa à le suivre dans les stations de métro, les dessous de pont, les squares, enfin le canal voûté. Ils contournèrent les grilles, glissèrent sur la vase à l'entrée du tunnel, faillirent basculer dans le Styx venimeux qui courait à leurs pieds. Ils avaient froid, non sans peur dans l'humidité noire, sur le quai étroit, se tenant par leurs vêtements derrière la lampe de poche dévoltée de Boris. Celui-ci marchait beaucoup plus droit que d'habitude, et de plus en plus vite comme s'il touchait au but. Une lumière en effet grossit au loin : du feu dans un bidon, quatre cannibales autour à la verticale de Chemin-Vert. Trois se levèrent à leur approche.

Boris parut très excité de retrouver Vidal. Il n'était plus le même homme, parlait avec entrain comme retour d'Afrique, des souvenirs firent écho sous la voûte. Vidal voulut savoir : Boris allait-il mieux. N'était-ce pas trop dur à Chantilly, cette nouvelle vie pour lui, avait-il vu Charles. Justement, dit Boris, je le cherche.

– Ça ne sera pas facile, dit Vidal, tu sais comme il est. Tu as regardé à Saint-Ambroise ? Il y a Levallois, il y va quelquefois. C'est là qu'on a la boîte, tu sais.

– Ils y sont passés, dit Boris en donnant du pouce vers les autres.

– Ah, fit Vidal sans les regarder, il n'y avait rien pour moi ?

– Non, répondit Pons intimidé, je ne crois pas.

– Ça ne fait rien. Vous ne voulez pas vous asseoir ?

On s'assit, les habitués franchement par terre, les autres accroupis sur leurs talons prudents. En s'installant, Boris identifia l'unijambiste Henri, seul à ne s'être pas levé.

– Je ne bouge pas, dit Henri, rapport à ma jambe volée.

Une plaque avec douze vis, montra-t-il, ça n'est pas compliqué, c'est vrai que c'est vite fait. En plein jour à Jaurès, pendant qu'il dormait, devant tout le monde, ça ne l'avait pas réveillé. Il n'avait même pas vu les types. J'en ai plus ou moins commandé une autre, dit l'unijambiste en montrant ses béquilles, mais ça traîne comme tu peux imaginer. Et toujours ces douleurs dans le membre fantôme, que l'humidité n'arrangeait sûrement pas. Tu n'aurais pas vu Charles ? interrogea Boris.

– Je sais qu'il dort dans le dix-septième, des fois. Je ne sais plus exactement où, par exemple. C'est assez grand, le dix-septième, c'est assez vaste comme arrondissement.

– Brochant ?

– Brochant, peut-être bien, dit Henri. Tu connais ?

– Il m'a mené une fois, se souvenait Boris.

Passé minuit, l'Austin roulait donc vers Brochant.

Boris eut un peu de mal à retrouver la rue, puis on était enfin devant chez Gina de Beer. Les fenêtres étaient obscures derrière les volets clos, derrière la trame de la claire-voie délimitant le polygone de rosiers.

– C'est éteint, dit Boris, on ne peut pas déranger. On va attendre là.

– Là ? fit-on sceptiquement.

– Ici, précisa-t-il. On ne peut pas le rater, comme ça.

Lorsque le jour et ses rumeurs se levèrent, les quatre hommes dans l'Austin étaient pleins de buée, de sueur et de rosée, de courbatures. Bob renonça le premier à simuler le sommeil, il sortit chercher le journal, des croissants s'il s'en trouvait dans le coin. A son retour, Paul et Boris causaient voiture à l'avant de la voiture, seul Pons s'obstinait à feindre. Bob distribua les croissants, ouvrit le journal en bâillant, y jeta ses yeux qui s'agrippèrent aux premières lignes venues ainsi qu'un chat lancé dans un rideau, puis descendirent le long d'elles en déchiffrant mécaniquement un reportage sur Monaco. On avait baissé les vitres, on mordait la pâtisserie sèche. Séparé de Bob par le journal dressé, Pons lisait les titres au verso.

Grincement de poignée, grincements de charnières : les regards convergèrent sur les volets du rez-de-chaussée, qui s'ouvrirent sur Charles nu. Des mains sortirent de l'Austin, s'agitèrent sur son tour comme des nageoires. Charles cligna, fit le point, reconnut les visages sous les mains, fit un signe en refermant la fenêtre. Le temps qu'il se prépare, Bob avait pu finir un autre article sur l'Etat d'Andorre.

31

Un troisième, consacré au Liechtenstein, complétait ce dossier des principautés naines. Toon grimaça devant l'agencement de consonnes et referma le journal qu'il tendit à Justine. Assise sur son banc, la jeune femme eut un réflexe de recul. Toon grimaça derechef.

– Vous le tenez bien comme ça, dit-il, la première page vers moi. Vous ne bougez pas.

Elle se trouvait reliée, par une chaîne légère en solide plastique blanc, à ce petit banc scellé au milieu de la pièce ronde, haute de plafond, d'ailleurs on ne voyait pas le plafond ; par terre c'était en ciment brut. Nul mobilier sauf le matelas, nulle fenêtre, rien ne paraissait prévu pour le renouvellement de l'air. Sur le sol deux brûleurs sous globe, nourris de butane, lâchaient du blanc. Plankaert surgit du fond de l'ombre sans coins, s'approcha tout en tripotant un boîtier plat, s'abstenant de regarder Justine. Toon se tourna vers lui :

– Ça va suffire, comme éclairage ?

– Mets les lampes à fond, dit Plankaert sans gaieté. De toute façon il y a le flash.

Il déplia le boîtier instantané, régla la distance. Justine tremblait un peu par petites doses de peur et de froid. Ça n'a pas l'air d'aller, dit Toon en réglant les molettes des brûleurs (elle crut que c'était à elle qu'il), qu'est-ce qui ne va pas ?

– C'est idiot, ce qu'on fait, bougonna Plankaert, c'est disproportionné.

Elle ne comprenait pas ce qu'on faisait, mais elle redoutait moins l'homme au polaroïd – moins nerveusement imprévu que l'autre, moins jeune, mieux au courant des mœurs. Les visites muettes, quotidiennes, d'un troisième homme qui venait toujours seul ne permettaient en rien de comprendre ce qu'on faisait, ce qu'elle faisait là, ce qu'on lui voulait, elles marquaient juste la succession des jours en ce monde étanche.

– Vous le tenez bien devant vous, le journal, dit encore Toon en se retournant vers l'autre. Ça va ? Elle est bien, comme ça ?

– C'est bon, dit Plankaert. Tenez-vous droite un petit peu plus, mademoiselle.

Par le viseur il la regarda se redresser, elle ne pouvait pas voir ses yeux à lui, puis elle ne distingua plus rien sous le flash, suivi de la petite plainte de l'appareil lorsqu'il vomit le cliché.

– On en fait une autre, proposa Toon.

– Ça suffit, dit Plankaert. Ça suffit.

Il secouait sans joie la photographie en attendant que s'y précisât l'image. Justine reposa le journal sur ses genoux. Je vous le laisse, dit Toon, je vous porterai aussi des magazines, tout à l'heure. Vous avez des préférences ? Vous n'avez pas un peu faim ? Elle ne répondit pas. Plankaert se penchait vers une des lampes pour examiner son portrait, se redressait en grognant quelque chose, elle se souvint qu'elle n'avait plus son sac, ni son miroir dedans. Toon se haussait vers le polaroïd, pardessus l'épaule de Plankaert, puis le prenait pour le considérer de près. Elle les vit s'éloigner, rejoindre l'ombre d'où régulièrement ils renaissaient, porteurs de quoi boire, manger, se changer, se laver, lire, et de médicaments pour dormir. Toon broncha contre quelque chose, jura puis se dissolut dans le sol. Bruit de trappe, tombal, puis le silence revint. Elle parcourut le journal. Nulle mention n'y était faite de son enlèvement.

Toon descendait avec méthode le long de la paroi, agrippé de tout son vertige aux échelons qu'il serrait exagérément fort, déplaçant un seul de ses membres, puis l'autre – comme dans les arbres du Hainaut, petit garçon – et s'exhortant à ne pas regarder vers le bas.

– Pourquoi tu fais cette tête ? insista-t-il.

– Parce que c'est une idée à la con, répondit Plankaert quinze échelons au-dessous. Voilà pourquoi.

– C'est lui qui veut, rappela Toon en éprouvant de son frêle poids la résistance du barreau suivant. C'est lui qui l'a eue, l'idée.

Au pied de l'échelle, très énervé, l'auteur de l'idée brandissait vers Plankaert un papier couvert de ratures, de renvois et de cancellations :

– J'ai fini. Lisez ça.

Toujours le trac : gêné qu'on lût sa prose en sa présence, Van Os tournait littéralement sur place, cette pièce étant également ronde. Mais elle était aussi beaucoup plus claire, quatre fenêtres soulignaient quatre aspects de la grosse machine hydraulique sise au centre, et dont la fonction se délivrait mal au profane ; on la devinait juste hors d'usage, figée sous l'oxyde gras. La télévision portative se tenait bancale sur cette machine parmi des vêtements, des boîtes de conserve, un réchaud, un poste à transistor, un sac contenant d'autres vêtements. Plus petit, contenant des jumelles est-allemandes Zeiss et un pistolet tchécoslovaque Vzor, un autre sac était posé par terre près du lit de camp. Plankaert et Toon s'étaient assis sur une partie inoccupée de la machine, une bâche pliée sous eux. Plankaert relisait le texte, Van Os passait devant eux.

— Dites donc, fit Toon, qu'est-ce qu'on fait si on ne trouve pas Bergman ? On laisse partir la fille ?

— C'est ça, cria Van Os en freinant exaspérément. Pour qu'elle aille raconter tout partout, c'est ça que tu veux ?

— Elle racontera de toute façon, prophétisa Plankaert sans lever les yeux. Un jour ou l'autre.

— Vous êtes contre moi, dit Van Os, c'est ça. Vous vous mettez contre moi.

— Non, dit Plankaert, je désire votre bien.

— Alors ça ne se discute pas, on fait comme on fait dans ces cas-là. Une photo récente de la personne avec un papier qui dit ce qu'on veut, c'est la marche à suivre.

— Il est violent, ce papier, observa Plankaert en le rendant à Van Os. Il est très menaçant. N'est-il pas excessif.

— Il résume bien ma pensée. Et puis comme ça, Bergman, il fera quelque chose. Il devra bien se montrer.

— Pas sûr, dit Plankaert, même pas sûr. Et puis supposez que les journaux s'y mettent. Jusqu'ici c'est tranquille, mais supposez que les journaux passent la photo, ça devient toute une histoire. C'est excessif.

— Je m'en fous, dit Van Os en tendant le papier à Toon.

Un instant, fit Plankaert en l'interceptant. Il le relut, proposa des changements que Van Os refusa, puis des corrections de forme qu'il accepta, non sans gêne. Plankaert profitait de cette gêne pour faire passer autant qu'il put le fond pour la forme, mais ce n'était que détails, Van Os tint bon sur l'essentiel, on communiqua le message à Toon.

Armé de colle et de ciseaux, le jeune homme était

chargé de le recomposer anonymement à l'aide de majuscules réquisitionnées dans de vieux journaux. D'abord il bouda cette tâche, peu conforme à ses aspirations, puis elle n'était pas moins divertissante, somme toute, que les mots fléchés dans les magazines de sport cérébral. Il trouvait certains mots prêts à l'usage, d'autres qu'il fallait raccourcir, rallonger, réorganiser, certains petits mots se découvraient intacts dans le corps d'un grand, parfois même plusieurs y cohabitaient, c'était intéressant. Les autres s'étaient remis à parler mais Toon n'écoutait plus, ne percevant que la musique – chez Plankaert persuasive, faiblissante chez Van Os – de leurs interventions.

Son ouvrage achevé, alors que la conversation se crevait de plus en plus grosses bulles de silence, Toon le passa à Plankaert qui le passa à Van Os qui le roula en boule et shoota nerveusement vers le mur, puis qu'il ramassa, déplia, relut en soupirant. Toon regardait sans comprendre.

– Bon, dit le chef à Plankaert, d'accord. Vous gagnez. On laisse tomber mon idée. Mais alors vous me le trouvez, Bergman, maintenant, vous me certifiez que vous le trouvez.

– Bien sûr, dit Plankaert, d'ailleurs on y va.

– Alors, fit Toon en désignant son collage tout froissé, on ne s'en sert pas ?

Comme on ne répondit pas, il osa :

– Est-ce que je pourrais l'avoir, est-ce que je pourrais le garder ? Comme souvenir, si vous voulez.

Van Os se mit à crier de nouveau après Toon, qui recula peureusement vers la porte pendant que Plankaert brûlait la lettre anonyme dans un bol. Sur le seuil, le chef proférait de flamandes menaces vers l'extérieur, Plankaert dut le pousser doucement pour sortir à son tour. Il traversa deux cent cinquante mètres de rase campagne jusqu'au chemin vicinal, où Toon s'était déjà réfugié dans l'auto. Comme il allait l'y rejoindre, il entendit Van Os cesser de crier, claquer la porte du château d'eau.

Il se retourna : c'était un château d'eau 50, en forme de vase 50, son galbe rappelait aussi certains sabliers, certains poivriers. On s'était bien servi de lui pendant trente ans avant d'en construire un autre plus capable, à dix kilomètres, puis on l'avait abandonné après l'avoir vidé de son eau. Il se trouvait maintenant très seul au cœur des platitudes céréalières, interminablement changeantes. Il n'y avait alentour aucune construction visible qu'une seule ferme ruinée, bien assez loin, que Van Os avait observée aux jumelles. Un semi-primitif l'occupait en compagnie d'une meute décalcifiée, fanatisée par la recherche d'une quelconque preuve de l'existence de l'os ; nulle hiérarchie n'était sensible entre ces bêtes et leur protégé.

A l'abandon, le château d'eau s'écaillait ; une colonne de mousse rase rongeait en triangle son septentrion. S'élevant au-dessus des quatre fenêtres cardinales, une volée d'échelons derrière un pointillé de hublots permettait d'accéder à l'ancien réservoir de l'étage, naturellement aveugle. Plankaert monta dans la voiture, démarra. Derrière le hublot médian, Van Os regardait partir ses hommes avant d'aller visiter la fille dans le réservoir, comme chaque jour. Toon se tourna vers son collègue :

– Qu'est-ce qu'il a, tu crois ? Tu as vu comme il est irritable ?

– Il est fatigué, dit Plankaert. On est tous fatigués.

Toon aimait bien cette fille dans le réservoir. Ainsi, par sympathie, il n'aurait pas abusé d'elle. Mais elle n'était jamais contente. Cette insatisfaction ne se voyait pas tellement sur le polaroïd, pas plus que le frémissement du journal tendu devant elle. S'ils avaient détruit son collage, ils n'avaient plus pensé à cette photo que Toon avait récupérée, qu'il garderait.

Répartition des tâches : pendant que Plankaert s'occupait des quartiers où Paul avait ses habitudes, Toon monterait la garde au pied de sa tour, quai André-Citroën. Tout le jour ce fut en vain, et le lendemain aussi, pendant que Van Os s'occupait seul de la captive. Par bonheur, Plankaert aperçut Paul le surlendemain, vers midi, vers la Chaussée-d'Antin.

Paul étouffait à Chantilly, où Justine disparue hantait tous les esprits. L'absence de récente photo d'elle n'aidait pas les recherches et, malgré l'armée d'informateurs sans domicile fixe levée par Charles, nulle trace de la jeune femme ne se découvrait. On attendait donc, ne sachant où se rendre, on parlait moins. Prétextant ses chaussures, Paul avait pris l'après-midi pour aller respirer le gaz de la grande ville, contenu dans le périmètre de Saint-Lazare, y inspectant les magasins.

Professionnel, Plankaert suivit selon son art le fil des boutiques de chaussuers jusqu'à ce que Paul parût se décider pour un modèle peut-être anglais, enjolivé d'un col requin de part et d'autre du lacet. L'autre l'observait derrière la vitrine, se disant drôles de goûts. Paul s'installant pour essayer la chose, Plankaert avait le temps de chercher un téléphone.

– Arrive, dit-il. Je l'ai trouvé.

Toon était content d'être pour une fois au volant du 4 × 4, content d'y écouter la modulation de fréquence, content d'user du téléphone.

– Tu es formidable, dit-il, mais pourquoi tu ne t'en

235

occuperais pas tout seul ? J'ai une bonne radio, là, je n'ai pas trop envie de bouger.

– Ne sois pas idiot, il y a trop de monde. Et puis peut-être qu'il ne va pas se laisser faire. Et puis je suis fatigué. Allez, viens, on va faire comme avec Gonzales, tu te souviens comme c'était facile.

Peu après, au stand après-rasage du Printemps, Toon appliquait donc le procédé Gonzales, méthode entre mille pour enlever les personnes et qui a pour principe l'anticipation de leur comportement. Toon parlait fort, gonflait fort sa voix haute, exigeait une imaginaire lotion. La calme parfumeuse voulut apaiser, distraire ce petit client nerveux. Elle fit mine de chercher encore, promenant ses longs ongles pourpres entre les vaporisateurs, les sticks, les gros flacons de prestige pleins de fluide factice. Ça existait, monta le petit nerveux d'un cran, ça ne peut pas ne plus être, où est le responsable du rayon ?

Il s'agitait du mieux qu'il pût, souhaitant passer très aperçu, alentour en effet les clients le regardaient. J'ai peine à le croire, pensait Paul dissimulé derrière une pyramide de gels. Il avait reconnu, de loin, la haute voix du jeune homme du côté des parfums, survolant les effluves ; il avait eu peur. Quand même il s'était approché, dissimulé, avait identifié la silhouette sous le manteau, suivi le dialogue avec le chef de rayon puis, l'effet Gonzales jouant à plein, suivi Toon lui-même. Toon était très facile à suivre dans le grand magasin. C'est peut-être idiot de le suivre, pense Paul. Mais c'était encore plus facile hors du grand magasin.

Toon traverse le boulevard Haussmann. Paul ne le perd pas de vue le long des rues de Rome puis de Leningrad au bout de quoi s'élève, au seuil des Batignolles, Saint-André-d'Antin. Toon entre dans l'église ;

Paul entre à son tour, un moment après. Cela sent la stéarine, le granit frais, pas du tout l'encens ni le désinfectant, l'orgue ne ronfle pas dans le silence extraterrestre. Il n'y a personne ici qu'un homme abîmé en prière contre un pilier du fond et une vieille dame en tailleur muraille, fondue dans le transept. Toon n'est pas visible. Bientôt la vieille dame se dégenouille et signe, elle sort sans regarder Paul. C'est encore plus vide. Puis c'est rapide.

Plankaert retire ses mains de son visage, se détache du pilier, s'approche de Paul qui recule et perçoit aussitôt un contact dur entre deux de ses vertèbres. Sans doute connecté à ce contact, le souffle de Toon lui parvient de tout près derrière son épaule. Plankaert s'approche encore, peiné mais résolu, mimique d'huissier ; d'abord il confisque le sac en plastique, avec les chaussures neuves dedans. Ce sac contient ensuite la tête de Paul. Non disjoint de celle-ci, son corps ligoté gît sous une couverture à l'arrière du 4 × 4, qui roule. A l'avant, Toon examine les cols requins : trop grands, et trop petits pour Plankaert.

La voiture enfin s'arrête, on fait descendre Paul, toujours la tête dans le sac. Quand on a coupé le moteur, c'est un autre silence qu'à l'église, plein de ciel frotté d'oiseaux. On guide Paul sur un terrain souple, irrégulier. On s'arrête puis on pousse une porte, derrière laquelle ronronnent une musique à bas bruit et un fort souffle égal, haché de sifflements. Il dort, fait doucement Toon, qu'est-ce qu'on fait. Eteins ça, chuchote Plankaert, ensuite on le monte. Trois pas, la musique meurt, ensuite on pousse et tire Paul, il sent que c'est vertical, il tente de se représenter les lieux.

Toon et Plankaert le hissèrent dans le réservoir, l'y déposèrent sur le flanc, toujours empêché de tout par

237

sa cagoule et ses liens. Justine les regarda faire, les brûleurs de butane à ses pieds veillaient l'autel d'une déité boudeuse, on lui jeta un coup d'œil réglementaire avant de refermer la trappe. On redescendit, sans faire de bruit en passant près de Van Os toujours en sommeil.

– On attend, dit Plankaert une fois qu'on fut ressorti. On ne le réveille pas, ça l'énerverait, déjà que. J'aime autant qu'il se repose, qu'il voie Bergman après.

Ils firent le tour du château d'eau, sans se hâter. Le vent de temps à autre envisageait de se lever, se rendormait un peu, puis il s'étira sérieusement, bâilla des souffles épars, contradictoires, sous lesquels se nuançaient les couleurs des cultures : les céréales versant par masses leur tête lourde, plus claire sur l'avers, formaient de longues taches molles, mobiles, qui déclinaient en se déformant le mode chlorophyllien. C'est joli, dit Toon. Oui, dit Plankaert, c'est imposant. Mais alors des cris retentirent à l'intérieur de l'édifice, des cris de fureur ou de douleur, peut-être des deux ; les deux hommes coururent vers la porte.

Les cris provenaient du réservoir. Eveillé en sursaut, Van Os se tenait écarquillé sur son séant.

– Qu'est-ce que c'est, fit-il d'une voix égarée, qui est-ce qui a éteint la radio ?

– Rien, dit Plankaert, laissez. L'affaire d'un instant.

Toon le suivit à l'assaut des échelons. Ce fut un peu difficile d'ouvrir tout de suite la trappe car Paul se trouvait couché dessus, quoique provisoirement puisque se déplaçant sans cesse, roulant sur lui-même pour échapper aux griefs de Justine. Tenant encore le sac qu'elle venait de lui enlever, celle-ci brandissait de l'autre main sa chaussure à talon, ponctuant chaque futur bleu d'un cri de guerre. Paul criait également, dans le registre médium. Holà, fit Toon, il va falloir les séparer. Plankaert voulut saisir Justine, mais c'était malaisé ; c'est à cause de lui, s'essoufflait-elle, à cause de ce con ; il finit par la tourner de force vers lui.

— Ça va, fit-il, ça va comme ça. On ne tape pas sur un type attaché, quand même. Ce n'est pas digne. Vous m'obligez à raccourcir la chaîne.

Ils roulèrent Paul hors de portée puis ils redescendirent, un peu inquiets de l'humeur du chef. Mais Van Os se trouvait paisiblement assis sur le lit de camp, ayant rallumé la radio qui diffusait du Herb Alpert. Devant ses yeux, pendus à deux de ses doigts, il balançait les chaussures neuves à col requin.

— Qu'est-ce que c'est que ça, demanda-t-il, elles sont à qui ? Elles sont bien.

32

Si Charles avait alerté toutes ses connaissances après la disparition de Justine, celle de Paul fut l'occasion de leur diffuser un nouveau signalement. Bob qui l'accompagnait dans ses tournées lui ayant parlé de Van Os, dont l'ombre planait sur les événements, Charles indiqua cette filière aux collègues. Boris venait aussi dès que son service le permettait, renouant avec son ancienne confrérie, rappelant à Charles tel comble ou tel sous-sol.

Pons cessa vite de les suivre. Il acceptait mal, lorsqu'on avait cherché tard dans la soirée, de devoir dormir sur un banc du métro sous prétexte d'être à pied d'œuvre de bonne heure. A cet effet, Charles avait pris des mesures : pour s'assurer d'être tôt levé, il suffisait de dormir dans une quelconque station de la ligne 8. Comme avec l'aimable conducteur d'une des premières rames du matin trois légers coups de klaxon dès qu'il voit Charles étaient convenus, la 8 faisait fonction de long réveille-matin, pratique puisque distribué dans nombre de quartiers ; si l'on voulait au contraire dormir un peu, mieux valait juste n'élire pas étourdiment domicile à Bonne-Nouvelle ou Liberté. Boris ne rechignait pas à coucher dans le métro, et Bob s'y accommodait. Nuit et nuit ils fouillèrent les entrailles du réseau jusqu'aux plus interdites au public, jusqu'aux stations fantômes, Arsenal et Croix-Rouge rayées de la carte du monde, hantées par une frange d'errants cavernicoles qu'on interviewa comme les autres, systématiquement.

A Chantilly, Nicole était sortie de sa chambre, elle commençait à reparaître dans la maison encombrée de lits d'appoint ; Pons lui tint compagnie tant qu'il put. On la voyait pendant les repas, auxquels Boris garda l'habitude d'assister. On se remettait à parler. Finalement, disait Nicole à Charles, tu ne t'es jamais marié.

Charles baissa la tête, partit seul en voiture ce soir-là – de nouveau vers le canal, sous la voûte duquel Henri patientait après sa prothèse. Généralement bien informé, l'unijambiste était tout seul auprès du ragoût froid, Vidal et Jeanne-Marie se trouvant en villégiature sur l'Ourcq. Cette fois il disposait de deux noms, desquels pourraient éclore d'autres noms. En deux heures Charles traversa la ville trois fois, put remonter jusqu'au nommé Briffaut, sur l'autoroute du retour il savait tout. La lune était beaucoup plus grosse et basse, beaucoup plus rousse que d'habitude lorsqu'il gara l'Austin, phares éteints, devant la maison de Chantilly. Il sortit de la voiture ; le gravier luisait, rouillé par le satellite. Il s'approcha des fenêtres : les autres étaient passés au salon. Finalement non, répondait Pons, je n'ai pas pu m'y résoudre. Il y a eu Jacqueline mais tu as connu Jacqueline, tu vois comme elle était, et puis ensuite l'histoire de ma sœur. Enfin je suis terriblement influençable, voilà.

Charles traça deux phrases au crayon sur un bout de carton. Puis il poussa la porte de la villa, monta sans se faire entendre vers les étages et posa le carton sur le lit de Bob. Réinstallé au volant de l'Austin, il patientait en regardant la clef de contact, luciole dans l'ombre du tableau de bord. Il entendit les autres aller se coucher, Bob parut peu après.

Ils contournèrent l'ouest de Paris, Charles conduisait lentement, même sur l'autoroute qu'ils abandonnèrent à la sortie d'Ury. La nuit sur Nemours était noire et liquide. Ensuite, Charles se repéra sûrement dans un lacis de voies secondaires privées de signaux, et qui ondulaient tels les bras alanguis d'un estuaire, sans accident de terrain pour énerver leur cours, sans autre existence que leur direction. On ne distinguait pas d'habitations de part et d'autre, ou l'on n'était pas sûr de leur réalité. Enfin, l'aube passant à l'aurore et les codes en veilleuse, on aperçut au loin à droite le château d'eau, phare éteint sur de la houle grise. Les graminées à perte de vue continuaient de moutonner, par amples coups de pinceau, sous le vent relevé plein de vigueur et de pollen.

Charles ne ralentit pas, roula jusqu'à ce que l'édifice fût presque imperceptible derrière eux. Laissant la voiture sur le bas-côté, les deux hommes rebroussèrent alors chemin, à pied dans les tiges humides sous le ciel blanc. Suivant d'abord la route étroite, ils prirent ensuite à travers champs, courant accroupis dans le couvert des plus hautes plantes. Ils s'allongèrent parmi des tournesols à deux cents mètres du château d'eau ; au-dessus d'eux, déjà braquées plein ouest, les fleurs courtisanes guettaient le lever du radiateur. Charles dégagea une petite surface plane mais les dés roulaient mal sur la terre meuble, dans l'ombre on devait lire les scores en braille. Ils firent quand même quelques figures, puis de la lumière parut au rez-de-chaussée du château.

Au bout d'un bon moment Plankaert sortit, suivi de Van Os, pisser, il était alors huit heures cinq. Peu avant neuf parurent Toon et Plankaert, ce dernier balançant un filet vide lesté par un porte-monnaie de ménagère. Toon regarda le 4 × 4 manœuvrer, s'éloigner, puis il réintégra le château d'eau. On va s'avancer un peu, proposa Charles.

Après les héliotropes était une fourragère où l'on se traîna par mouvements courbes de plongeurs de fond, faisant rebondir et se renfoncer les bestioles jusqu'au seuil de cette luzerne, presque au pied du bâtiment rond. Par une fenêtre ils virent passer Toon, son chapeau sur la tête, une serviette à la main. Ils inspectèrent les autres fenêtres, rampant autour de la place-forte aussi trempés de rosée qu'au fond d'une vraie douve. Ils n'aperçurent pas Van Os mais revirent Toon tenant une théière, puis une canette sans transition. Il va falloir qu'il sorte pisser aussi, estima Charles. Là ce sera bon.

Il aurait en effet raison du jeune homme qui finit par sortir comme prévu, se dégrafant par anticipation, immobilisant un peu plus loin son dos tourné. Charles frappa une première fois, peu fort : Toon sursauta vivement et se tourna, déséquilibré, levant son épaule et sa hanche en dessinant des huit jaunes dans l'air, handicapé par le maintien de son membre, puis il s'était abattu sous le poing de Charles réexpédié. Ensuite on neutraliserait son chef dont Charles s'était saisi en l'essorant, le vidant de son air comme pour le plier avec les autres pneus, et qui se défit à ses pieds, tablier dénoué. Puis Charles avait désigné les échelons, puis il avait dit : montons.

33

L'Avenir est presque limitrophe du Loiret. Sis dans la corne sud-ouest de la Seine-et-Marne, c'est le plus proche lieu-dit du château d'eau. Le 4 × 4 en revenait bourré de vivres, avec toute la presse sur la banquette arrière. A je ne sais quoi, du plus loin qu'il aperçut le château, Plankaert sentit que les choses avaient changé. Il ralentit : devant l'édifice, attelé comme un vieux sur une chaise, Van Os récupérait son souffle en contemplant le panorama du haut de sa carrière compromise. On l'avait disposé là, près de l'entrée, figure contreplaquée de restaurant routier ; Toon à ses pieds gisait sans autre surveillance. Quels qu'ils fussent – Plankaert n'identifiait pas cette Austin –, les nouveaux venus devaient s'occuper dans le réservoir. Plankaert continua de ralentir, considéra son chef assujetti, jaugea le rapport de force, reprit discrètement de la vitesse et sortit par la gauche du panorama.

Justine délivrée, Charles voulut la ramener aussitôt à Chantilly. Elle paraissait choquée, ne regardait rien ni personne ; ombre elle monta dans l'Austin ; Bob seul voulut lui parler. Comme avec Paul ils hésitaient un peu à monter si près d'elle, Charles pressé coupa court, promit de leur envoyer tout de suite quelqu'un, démarrant instantanément. En attendant ils surveilleraient Van Os et l'évanoui, sur le sort desquels on n'avait pas statué.

Dès la première cabine, dans un bourg dénommé

Bromeilles, Charles appela Chantilly : aussitôt Pons investit une autre Austin, prêtée par une voisine et semblable à deux options près, roula bon train mais se fourvoya gravement à l'échangeur d'Ury. On l'attendait, l'air tiédissait, de grosses mouches bleues vrombissaient de près, de petits tracteurs nivelaient l'horizon. Lorsque enfin Pons parut dans le nouveau véhicule, on y monta sans avoir rien décidé pour Van Os. Bon, lui dit Bob en le déliant, on vous laisse. Resté assis, l'autre sursauta sous les claquements de portières :

– Vous ne voulez pas nous ramener ?

– Vous vous débrouillez, Van Os, fit Paul avec un geste. On est déjà trois, c'est une petite voiture, débrouillez-vous. Estimez-vous heureux.

– Prenez-moi, pria Van Os, j'occupe peu d'espace et je reconnais mes torts.

– Non, dit Paul. Non, n'est-ce pas.

– Prenez-moi juste moi. Il faut bien que je rentre (il désigna Toon) pour revenir le chercher. Ensuite j'arrête (il se leva), j'arrête un moment. Chez mon frère à Bastogne (dont il montra la direction probable), un moment. Ramenez-moi, s'il vous plaît.

On se poussa donc en soupirant, on se mit à rouler serrés. Avant midi, le soleil n'étouffait pas encore les choses, au contraire il soutenait, diffusait leurs couleurs, les vêtements pendaient de tout leur bleu devant les fermes, à des fils ; comme une langue tirée d'une fenêtre, un édredon jaune d'œuf était extrêmement jaune d'œuf. Quelques chats, extrêmement écrasés quant à eux, tachetaient la départementale de petits tapis de prière rarement siamois, jamais persans. A l'entrée de l'autoroute, Van Os instinctivement se contracta.

On le déposa dans le quatorzième, dès les portes de la ville. Il descendit, en se défroissant sur le trottoir il dit merci, merci bien. Resté seul, il s'approcha de la première vitrine, se posta devant pour réfléchir à l'ordre des choses à faire. Prévenir Plankaert. Récupérer l'Alfa. Récupérer Toon. Appeler Bastogne. Quoique non. Ecrire serait peut-être mieux. Il hésitait, se sentit démuni, regarda les choses derrière la vitrine, un mixeur, un mouligratteur, soudain les prix de ces choses lui semblaient très élevés.

Pons n'avait pas très envie de rentrer tout de suite à Chantilly. Il gara l'Austin sous un mûrier, vers Saint-Paul, on déjeuna ; puis sous un acacia de Belleville, où Pons voulut prendre un autre café. C'était un des premiers jours tièdes, de cette douceur sincère, sans le moindre arrière-froid, qui encourage les corps vers les terrasses meublées où ces corps se voient mieux, bougent mieux sous l'étoffe moindre. Il n'avait pas très envie de rentrer.

– On pourrait voir quelqu'un, proposa Bob. Bouc, par exemple, on n'est pas loin. Vous voulez venir, Jeff ? Vous voulez voir du monde ?

– Bien sûr que je veux connaître des gens, dit Pons. Puisque je recommence ma vie. Bien obligé.

D'abord méfiant, Bouc Bel-Air découvrit en l'ex-duc un interlocuteur rare : à coups d'Ulug Beg et de Jagannath Bhatt, citant les mêmes passages de Wallace ou de Charbonneau-Lassay, les deux hommes se reconnurent piétons des mêmes trottoirs peu fréquentés du savoir humain. Oubliant Paul et Bob, bientôt ils ne parlaient qu'entre eux, bientôt ils furent obscurs, bientôt désaccordés à propos de Samarcande et de Bagdad dont les observatoires opposent leurs vues. Erreur cosmique, trépignait Pons sans voir Paul ni Bob qui se levaient, sortaient sans faire de bruit. Dehors c'était encore le plein après-midi, le plein d'odeurs violentes le long du Faubourg. Ils n'avaient rien à faire, pas très envie de rentrer non plus, ils marchèrent. Plutôt sud-ouest, vers le front de Seine.

Dans la direction générale du sud-ouest, c'est-à-dire en se retournant, déviant souvent de cet axe, procédant par escales, revenant sur leurs pas. Tu vas la revoir ? Regardant eux aussi les choses neuves luire derrière les vitrines, mais aussi les vieilles projetées en vrac dans les grandes bennes vertes. Peut-on la revoir. Contournant une zone à haut risque où l'on pourrait croiser Elizabeth. Tu crois que c'est possible ? Se rappelant un objet qu'on devait toujours acheter, l'oubliant au profit d'une autre. Ils pensaient à Justine, chacun pour soi, lisant machinalement les numéros de voitures et les noms sur les portes, les noms sur les plaques, les noms sur les boîtes, trente ans plus tard ils se souviendraient d'elle. Leur distraction, cette errante oisiveté, bien qu'ils n'eussent d'autre souci présent qu'éviter les déjections de chiens, ne leur semblaient pas plus un luxe que ça. Ils n'étaient même pas à mi-chemin de leur parcours vers le front de Seine que l'après-midi s'achevait, les gens rentraient retrouver leurs noms, le soleil se couchait lorsque Paul et Bob passèrent le fleuve (reflets) par le Pont-Neuf.

Ils firent halte dans un bar proche du square de la Charité, un long bar sombre avec une petite scène au fond, un vrai bar en bois bordé de hauts tabourets de bois. Une chanteuse prenait son service sur scène, réglant le micro, se faisant la voix sur un air en mineur, s'arrêtant au refrain, négociant des accords avec un pianiste en veste à carreaux. Le pianiste avait l'air inquiet, comme contraint de superposer ses empreintes sur l'étendue du clavier. Tout début de soirée, petite affluence. Ils s'étaient mis au bar.

247

La musique permet de parler moins, de regarder son verre, l'abat-jour parchemin, la collection multicolore d'alcools plutôt que son voisin. Donc ils s'exprimaient peu, sauf qu'il fait bon, qu'il n'y a pas beaucoup de monde, que j'en avais assez de marcher. La chanteuse tint quelques aigus – elle connaissait plusieurs façons d'accéder à l'aigu, d'amener l'aigu que le pianiste éclaboussait de gerbes d'arpèges. Paul se mit à boire un peu vite, à remuer sur son tabouret, à en descendre.

– Je téléphone, dit-il, je vais téléphoner.

– Bon, dit Bob.

– Un petit coup de téléphone, ensuite je reviens. Un petit coup de fil.

– Oui, bon, dit Bob, va téléphoner.

Il se retourna vers le bar, l'abat-jour, l'allée et venue du barman en blanc. Le pianiste asséchait maintenant son jeu par accords brefs, petites foulées métriques – dans les maisons dans les jardins, modulait sa partenaire, on n'entend rien. Paul se rétablit sur son tabouret.

– C'est occupé. Ça sonne occupé.

– Tu rappelleras.

– Oui, dit Paul, je rappellerai.

Mais un peu plus tard c'est à lui d'être seul, de se regarder seul dans le miroir qui double l'abat-jour. Bob à son tour est descendu téléphoner, il semble que pour lui ce ne soit pas occupé. On dirait qu'il ne revient pas. Paul montre son verre au barman, le piano ralentit, s'apaise – au cœur de la nuit tropicale, insiste la chanteuse, le silence est total.

Mais cela touche à sa fin puisque sept heures plus loin c'est le début du crépuscule malais ; la nuit noire est cependant jaune. Les hommes dorment sur leur lit.

Un argus est posé près de la mare, sous les ouates du kapokier. Il n'est pas en rut, donc il ne chantera pas. Le caoutchouc pousse en bon ordre, mais Bob ne revient toujours pas.

LA SUBVERSION DU ROMAN

Jean Echenoz emploie la manière douce
pour « déstabiliser » le récit d'aventures.

A moins d'être niais, un romancier ne peut pas ne pas s'en prendre au roman. C'est un genre si évident, si sûr de soi et de ses charmes, si bien installé dans les habitudes et les imaginaires de ses lecteurs qu'il détruit les écrivains qui ne s'en méfient pas. Le romanesque, lorsqu'on l'aborde sans défense et sans méfiance, mange tout, à commencer par l'intelligence, par la sensibilité et par l'écriture.

Pour échapper à cette leucémie, les artistes ont inventé, depuis qu'il se fait des romans, mille façon de chasser le naturel. On s'est essayé à toutes les formules et à tous les rites, on a brisé le récit en miettes, piétiné la chronologie, dynamité les personnages, pratiqué des greffes monstrueuses ; toutes ces tentatives radicales se terminant immanquablement par un retour en force du romanesque le plus béat, le plus triomphaliste, le plus navrant.

L'échec de ces attaques frontales devait amener l'apparition de politiques plus subtiles, moins ostentatoires pour être plus certainement efficaces. Voici Jean Echenoz. Il ne publiera pas de manifeste, il ne fondera pas d'école ; il se peut même qu'il continue encore quelque temps à écrire des livres qui passeront pour des divertissements aimables et charmeurs, composés par un vaga-

251

bond rieur et talentueux. Tant est grande son habileté à tromper son monde.

Et pourtant, au rythme sage d'un roman tous les quatre ans – le Méridien de Greenwich, en 1979, Cherokee, prix Médicis en 1983, l'Equipée malaise, cette année, – Jean Echenoz construit l'une des entreprises littéraires les plus originales et les plus fécondes du roman français d'aujourd'hui : la subversion du roman par déstabilisation douce.

En surface, tout semble calme, ou presque. L'Equipée malaise raconte les aventures drolatiques de deux hommes, Jean-François et Charles, que leur amour déçu pour une même femme va conduire dans une plantation d'hévéas en Malaisie, l'autre parmi les clochards de Paris. Ils se retrouveront bien des années plus tard, embringués sans trop y croire dans un complot minable, avec trafiquants d'armes, indigènes sournois, rafiot de contrebande et mutins d'opérette. Du romanesque de carton-pâte, avec des acteurs qui jouent systématiquement à côté de leur rôle.

Mais tout, précisément, dans ce livre, se joue à côté, avec ce tout petit décalage qui fait que rien jamais ne colle, sans qu'on puisse dire précisément à quel moment, dans quelle marge, se sont produits les gauchissements, quand on a décroché de la réalité – de ce qu'on nomme réalité dans les romans – pour se retrouver dans une sorte de no man's land où rien ne va plus, où les vêtements sont trop petits ou trop grands, où les images ne correspondent pas aux paroles qui les accompagnent, où les conséquences et les causes qui devraient les produire ne s'enchaînent pas vraiment.

Tout se passe comme si un romancier extrêmement méticuleux et calculateur avait construit un livre en s'imposant des règles draconiennes ; une épure presque abstraite, aussi rigoureuse qu'une partition classique, avec des jeux de symétrie, des variations tirées au cordeau, *des reprises savantes du thème, et qu'un autre romancier, en même temps, avait bougé la feuille, déplacé les lignes, fait sourire la langue, et offert du même coup* « une petite prime d'imaginaire dans la vie des gens engourdis, transis entre la fiction pure et le réel sans appel ».

Ce constant brouillage, ce porte-à-faux permanent, créent évidemment un malaise du roman – le jeu de mots du titre est aussi une piste esthétique –, mais ils sont également au cœur de l'intense plaisir que nous éprouvons à le lire. Entre le tout-est-possible, la liberté informe de la fiction sans bornes et la pesanteur opaque du réel, Echenoz nous offre un espace étroit, mouvant, mais merveilleusement libre, ouvert, créateur : l'espace du livre. Il se referme, hélas, dès que le roman est terminé.

Pierre Lepape
Le Monde, *9 janvier 1987*

CET OUVRAGE A ÉTÉ ACHEVÉ D'IMPRIMER
LE VINGT-HUIT JUIN MIL NEUF CENT
QUATRE-VINGT-DIX-NEUF DANS LES ATELIERS
DE NORMANDIE ROTO IMPRESSION S.A.
À LONRAI (61250)
N° D'ÉDITEUR : 3363
N° D'IMPRIMEUR : 991210

Dépôt légal : juillet 1999